Angelika Weber
Karin Greiner

Haies

Comment planter
et cultiver de belles
haies décoratives.

Photos
Jürgen Becker,
Marion Nickig

Illustrations
Renate Holzner

HACHETTE

La haie, base de l'aménagement du jardin : en guise de préface

Les haies sont bien plus qu'une clôture. Avec un peu d'adresse, les arbustes font des miracles. Qu'elles soient destinées à diviser l'espace, à protéger des regards indiscrets, à créer un rideau de verdure pour cacher le potager, les haies se prêtent à tout et ajoutent toujours cette note élégante qui les caractérise.

Dans cet ouvrage, les auteurs vous donnent des conseils sur les arbustes que vous aurez à choisir, vous expliquent comment se forment les arbres et les arbustes, et insistent sur la fonction écologique que remplissent les haies, en particulier dans les villes dont l'air est trop souvent pollué. Leurs conseils vous aideront à choisir la variété végétale adaptée à votre jardin : haie taillée ou libre, persistante ou feuillue, vive ou fleurie. Pour chaque genre, les auteurs, forts de leur longue expérience, vous proposent les espèces adéquates et des conseils pour l'aménagement.

Des illustrations détaillées vous montrent comment planter, tailler et soigner vos haies.

Nous vous souhaitons beaucoup de plaisir dans cette entreprise.

SOMMAIRE

Ce perron est adouci par un océan de rosiers arbustes.

Fruits rouges du houx.

*Floraison généreuse
de la clématite.*

Important : pour que votre
plaisir soit sans nuage,
respectez l'avertissement
de la page 61.

Planifier la plantation

Les haies protègent du bruit et des regards indiscrets, et créent de merveilleux recoins qui invitent au repos et à la rêverie. Ne plantez pas n'importe quoi, n'importe où. Vous trouverez dans les pages qui suivent tous les conseils nécessaires à l'agencement de vos haies.

En haut : baies de cotoneaster. À gauche : les haies — ici charme et if — harmonisent l'espace des plus petits jardins.

Une ancienne tradition

Le désir de chacun de protéger son intimité et de s'abriter du monde extérieur ne date pas d'aujourd'hui. Depuis que l'homme construit des maisons et aménage des jardins, il éprouve le besoin de clôturer son bien, d'en dessiner les frontières et de s'inventer une sphère privée. Il en allait déjà ainsi dans les siècles passés, alors que les jardins étaient encore le privilège des riches et ressemblaient davantage à des parcs. Ce besoin est devenu d'autant plus impérieux aujourd'hui que l'espace disponible, dont les jardins, s'est considérablement réduit à mesure que la population augmentait, que les terres se bâtissaient et que le prix du terrain s'envolait. Aujourd'hui, le jardin moyen mesure environ 300 à 400 m², et certains sont encore beaucoup plus petits, parfois à peine plus grands que des mouchoirs de poche. Les distances nous séparant les uns des autres se sont amenuisées. Cela rend donc encore plus nécessaire l'aménagement raisonné de votre salon de verdure, afin de ne pas gaspiller inutilement l'espace tout en vous protégeant efficacement contre les inconvénients de la promiscuité et les regards indiscrets. Après tout, il n'est pas forcément agréable de se sentir observé. Même le bruit de la rue, cette nuisance ô combien incontournable dans de trop nombreuses villes, peut être atténué par une haie pour peu que celle-ci soit composée avec adresse *(voir les paragraphes traitant de la protection contre le bruit et les regards indiscrets p. 17).*

Mur, grillage ou haie ?

Vous pouvez clôturer votre jardin de trois différentes manières.

Les murs

Ils peuvent, suivant le matériau que vous utilisez, paraître étouffants et donner l'impression d'être enfermé dans une forteresse. Même couverts de végétation, réservez-les aux parcelles de grande taille. Ils ne seraient pas à leur place dans un petit jardin, où vous vous sentiriez rapidement emprisonné.

Les grillages

Ils sont en général plus légers et conviennent donc mieux aux petites surfaces. Ils permettent, en outre, de ne pas se sentir enfermé et de pouvoir bénéficier d'un point de vue parfois agréable sur l'environnement immédiat.
On en trouve de très nombreux modèles, que vous assortirez au style de la maison et du jardin, et que vous pourrez facilement masquer de plantes vivaces ou annuelles si vous le désirez.

Les haies

Elles conviennent à presque toutes les surfaces. Suivant votre goût et la place dont vous disposez, choisissez une haie libre ou taillée, une haie fleurie, avec ou sans arbustes persistants, une haie vive, etc. Elles font partie intégrante du décor, surtout si vous savez jouer sur les couleurs du feuillage, sur leur fructification hivernale, sur la forme des feuilles et la silhouette de l'arbuste… Ne posez pas de limites à votre créativité et à votre imagination.

Plus qu'une clôture

Les arbres et les arbustes qui conviennent pour les haies peuvent être taillés ou pousser en toute liberté, selon l'espèce choisie, vos goûts, et l'utilisation à laquelle vous destinez la haie. En plus de clôturer votre terrain, les haies servent aussi à l'aménagement du jardin : on peut, par exemple, couper une perspective en un couloir étroit, dissimuler ou améliorer des parties disgracieuses ou créer des recoins intimes. Une ou plusieurs haies peuvent ainsi trouver leur place au cœur même du jardin *(voir p. 12 et 13).*

Précieuses pour l'écosystème

Les haies et, d'une manière générale, tous les arbres remplissent de multiples et

Un banc en demi-lune se blottit au creux de la haie.

indispensables fonctions dans l'écosystème. Leur importance pour l'équilibre vital de la terre nous est plus connue maintenant que nous avons pris conscience combien nos forêts peuvent être dévastées par les pluies acides, au point de faire craindre à certains de terribles modifications climatiques.

En premier lieu, grâce aux rejets de la photosynthèse, ils produisent une part importante de l'oxygène indispensable aux êtres vivants — humains et animaux — *(voir Cahier pratique : botanique, p. 8).* En outre, l'importante évaporation qu'ils produisent a une influence non négligeable sur le climat. Ainsi les haies et autres arbres de nos jardins maintiennent l'humidité de l'air, cette humidité qui nous apparaît particulièrement agréable lors des canicules estivales. En ville, par exemple, les espaces verts qui comportent de nombreux arbres peuvent faire descendre la température ambiante de 3,5 °C et créer ainsi des microclimats. Par ailleurs, les frondaisons procurent de l'ombre dans la journée et empêchent la réverbération de la chaleur la nuit. Le feuillage sert aussi à filtrer la poussière — fonction particulièrement appréciable en ville —, d'une façon d'autant plus efficace que la plantation est peu dense et alternée plutôt que serrée et régulière. Enfin, de nombreuses espèces d'animaux y trouvent abri.

Les arbres et les arbustes sont des plantes vivaces lignifiées, ce qui veut dire qu'à la différence des autres végétaux vivaces, ils ne cessent de croître. L'épaississement secondaire des branches, grâce auquel leur grosseur reste proportionnelle à leur longueur, est caractéristique des arbres. Ainsi, un arbre de grande taille aura des branches plus grosses que celles d'un arbuste. Ce processus d'épaississement secondaire dure toute la vie du végétal. On distinguera

donc ici deux groupes principaux, en fonction de leur silhouette : les arbres et les arbustes.

Les arbres

L'arbre est nettement structuré en un tronc principal puissant et droit et une couronne de branches dont la forme est caractéristique de l'espèce.

Les feuillus
(illustration 1)
Les branches les plus basses des feuillus, les premières formées, à la base du tronc, se développent peu ; elles se rabougrissent et tombent, formant ainsi un tronc

3) La forme en buisson tient à la formation des branches : de la base partent plusieurs branches principales

plus ou moins droit, dépourvu de branches, surmonté d'une large couronne.

Les arbres à aiguilles
(illustration 2)
Les branches inférieures des arbres à aiguilles continuent à pousser, donnant à l'arbre sa forme caractéristique de pyramide.

Les arbustes
(Illustration 3)
À l'inverse des arbres, les arbustes possèdent un tronc multiple, formé de plusieurs branches principales. Les bourgeons et pousses adventives inférieurs sont mieux nourris, ce qui fait que l'arbuste se rajeunit spontanément en formant de nouvelles

branches. La ramification du sommet est plus faible, et ses branches vivent moins longtemps.

Qu'est-ce que le bois ?
Tout le monde sait ce que c'est et tout le monde en a vu. Le bois possède des qualités particulières qui tiennent à la mutation des cellules végétales « normales ». La paroi souple et élastique des cellules végétales se charge de lignine, ce qui les épaissit et les durcit. À quoi s'ajoutent tanin et colorants qui, entre autres, sont à l'origine de la belle couleur du bois. Les lignes qui suivent décrivent en détail les différentes étapes de la formation du bois.

1) Les feuillus possèdent un tronc droit et dépourvu de branches, surmonté d'une large couronne.

2) Les arbres à aiguilles, les conifères, sont bien reconnaissables à leur forme pyramidale.

4) *L'eau est puisée dans le sol, amenée jusqu'au sommet, et s'évapore. Elle retombe sous forme de pluie et le cycle recommence.*

• **Le cœur** est constitué de bois mort. Il sert avant tout à la rigidité et à la solidité du végétal.

• **L'aubier** entoure le cœur. C'est du bois jeune, traversé par les vaisseaux ligneux, ascendants, de longs tuyaux qui amènent l'eau et les sels minéraux aux feuilles. Ils servent aussi à stocker les réserves.

• **La couche de cambium** n'est épaisse que d'une seule cellule. Elle croît, c'est-à-dire qu'elle se divise dans les deux directions. Vers l'extérieur, elle forme le liber, vers l'intérieur l'aubier.

• **Le liber** est un tissu mou et succulent qui contient les vaisseaux libériens, descendants. Ceux-ci transportent les éléments nutritifs fabriqués par les feuilles vers les racines et les autres parties de l'arbre.

• **L'écorce** enveloppe les branches comme une peau protectrice. Avec le temps, elle se fendille, éclate, et est remplacée par le liber (au-dessous).

• **La croûte ou liège** est la couche la plus externe des cellules mortes.

Conseil : n'ôtez jamais le liège, même s'il vous paraît vieux. Il protège le tronc des maladies et blessures venues de l'extérieur.

Le cycle de l'eau et de la nutrition
(illustration 4)
L'eau est puisée dans le sol par les racines et amenée jusqu'à la pointe des feuilles par les vaisseaux ligneux. Elle joue un rôle fondamental dans le métabolisme du végétal. Une partie de cette eau s'évapore par la surface des feuilles. Ainsi, un appel d'eau se crée en permanence au niveau des racines, qui vont la puiser dans le sol.

• **Les fines racines**
(illustration 5)
Seules les fines radicelles sont en mesure de puiser l'oxygène (O_2), l'eau et les sels minéraux, par l'échange de particules chargées d'ions. La plante donne des ions et se charge d'autres particules en échange. Le gaz carbonique (CO_2) que produisent les racines participe à ces échanges.

• **Les feuilles**
(illustration 6)
Elles transforment, sous l'effet de la lumière du soleil, l'eau et le gaz carbonique de l'air en sucre. Leur substance verte, la chlorophylle, est indispensable à ce processus appelé photosynthèse, vital pour la planète.

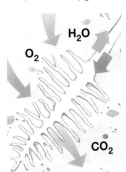

5) *Les radicelles puisent oxygène, eau et sels minéraux nécessaires à la vie de l'arbre ou de l'arbuste.*

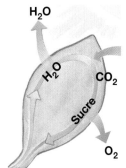

6) *La photosynthèse transforme le gaz carbonique et l'eau en sucre, élément indispensable à la photosynthèse.*

9

Maçonnerie, grillage garni de grimpantes, et vivaces clôturent ce jardin.

Cette association de vigne vierge et de lierre permet d'obtenir de jolis effets de couleurs tout en conservant son aspect « sauvage » à la plantation.

Les abeilles et les papillons se nourrissent du nectar des fleurs, les oiseaux viennent y nicher et grappiller les baies, ainsi que les hérissons, loirs et campagnols.

Autour du jardin

À l'origine destinées à empêcher le bétail de s'enfuir, et les bêtes sauvages et les cambrioleurs de pénétrer dans la propriété, les haies n'ont plus, de nos jours, la même fonction, surtout en ville. Elles servent aujourd'hui à limiter et à clôturer le terrain, en le séparant de la rue et des jardins voisins, à protéger maison et jardin des regards indiscrets et des hôtes indésirables. Bref, elles nous isolent du monde du dehors. Quel que soit le choix que vous avez fait, tenez compte de la place dont vous disposez et du temps que vous pouvez consacrer à l'entretien de la haie. Commencez par préciser vos besoins.

Protection contre le bruit

Tout dépend de son intensité et de la gêne qu'il engendre. La haie devra être d'autant plus haute et dense que la rue est passante et bruyante.

Protection contre les regards indiscrets

Voulez-vous vous protéger totalement des regards du voisin, ou une barrière légère d'arbustes vous paraît-elle suffire à votre intimité, surtout s'il y a déjà un grillage ? *(Voir Protections contre le bruit et les regards indiscrets, p. 17.)*

Conseil : si vous habitez un ensemble pavillonnaire ou si votre maison est alignée, il est préférable de discuter de vos projets de plantation avec vos voisins pour que l'ensemble reste harmonieux. Il est par ailleurs superflu de planter une haie complète des deux côtés du grillage : c'est un gaspillage d'argent et d'espace qui peut être évité en concertation avec le propriétaire du jardin mitoyen.

Divers types de haies

On distingue principalement deux types de haies :
• la haie taillée ;
• la haie libre.
Toutes deux peuvent être composées d'arbustes à feuilles persistantes ou caduques.

Les haies taillées

Comme leur nom l'indique, elles doivent être régulièrement coupées. Elles prennent moins de place que les haies libres, et sont donc plus conseillées si votre jardin est petit. Cependant, elles demandent beaucoup plus d'entretien puisqu'il faut les recouper fréquemment. De plus, les formes rigoureuses sont vite monotones et peuvent manquer de spontanéité.

Conseil : si vous possédez un petit jardin dans une rangée de maisons alignées, ne l'enfermez pas entre des murs de haie taillée. Préférez une solution plus simple, comme un grillage léger que vous garnissez de plantes grimpantes et de vivaces multicolores : c'est charmant et peu encombrant *(voir Alternatives, p. 35).*

Les haies libres

Elles permettent une grande variété d'aménagements. Haie verte, haie fleurie, haie vive, ou une association des trois formes : tout est possible. Elles demandent seulement à être rafraîchies de temps en temps, parfois même rajeunies, mais elles exigent nettement plus de place.

Important : ne perdez pas de vue que la hauteur et la largeur de votre haie, quel que soit son style, dépendent de la taille de votre terrain : plus il est petit, plus la haie doit être discrète.

Persistante ou caduque ?

Les haies persistantes

Elles restent vertes toute l'année et protègent des regards même en hiver.

Les haies caduques

Elles sont souvent beaucoup plus belles. Certes, elles perdent leurs feuilles en automne, mais elles laissent pénétrer la lumière et le soleil. Pensez-y, surtout si votre jardin est petit.

Un mélange harmonieux

En général, les haies taillées sont constituées d'une seule espèce de plante, ne serait-ce que pour des raisons de taille d'entretien. Dans une haie libre, vous pouvez diversifier les espèces. Vous pourrez alterner arbustes à feuilles persistantes ou caduques, espèces à feuillage décoratif et arbustes à fleurs, feuillages aux riches colorations automnales et aux fruits multicolores. Avec un peu d'adresse, le spectacle végétal durera du premier printemps à la fin de l'automne, et même durant l'hiver *(voir Aménager l'espace, p. 23 à 37).* Vous participerez ainsi à la protection de la nature *(sur le rôle écologique des haies, voir p. 6).*

Dans le jardin

Ne réservez pas la haie à la seule clôture de votre jardin. Ce serait faire injure à sa diversité. Elle se prête tout aussi bien aux aménagements intérieurs, que vous souhaitiez entourer la terrasse ou un massif, le potager ou des coins inesthétiques comme le tas de compost ou le bac à ordures. Vous pouvez aussi créer un fond de verdure pour un massif de vivaces, ou diviser l'espace. Il existe une forme de haie adaptée à chacun de ces usages.

Remarque : à l'intérieur du jardin, préférez les haies courtes, composées de peu d'éléments, ou les bosquets plutôt qu'une longue haie fermée *(voir Aménager l'espace, p. 23 à 37).*

Réfléchir avant d'agir

Les arbres et les arbustes, les haies, les bosquets ou les sujets isolés ne se plantent pas n'importe comment, sans avoir préalablement réfléchi.

Ces végétaux sont chers et bien plus difficiles à transplanter que les vivaces quand on s'est aperçu que l'on a fait une erreur. L'arrachage n'est pas la meilleure solution : outre les règlements de protection de l'environnement *(voir p. 20)*, il n'est pas toujours facile de faire entrer, et à plus forte raison de faire fonctionner, les outils et les machines nécessaires sans dévaster l'ensemble. L'arrachage de la souche est particulièrement délicat.

Remarque : tenez compte de la silhouette et de la taille définitives des espèces que vous voulez planter. À chaque destination correspond un type bien précis. Ainsi, les arbres de grande taille comme le thuya *(Thuya)* ou le mélèze *(Larix)* n'ont pas leur place devant une petite terrasse. Leur beauté est davantage mise en valeur s'ils sont isolés. Plus le jardin est petit, plus vous devez opter pour des espèces délicates et les planter peu serrées en choisissant bien l'emplacement.

Le plan

Dressez un plan précis de votre jardin avant tout achat. Imaginez plusieurs aménagements possibles de votre terrain, et comparez vos différents projets. Respectez l'échelle en dessinant vos haies et vos massifs d'arbustes. Vous pouvez aussi réaliser de simples maquettes de papier ou vous procurer des sujets en plastique dans les magasins de modèles réduits. Vous pourrez les déplacer à votre convenance et expérimenter ainsi diverses solutions avant de vous mettre à l'œuvre. Ne négligez cependant pas les éléments suivants.

• La taille et la silhouette définitives *(voir Aménager l'espace, p. 23 à 37)* : si vous voulez vous asseoir ou vous étendre à l'ombre de la haie, il vous faudra choisir des espèces qui forment un tronc.

• Les vents dominants : si la haie doit, par exemple, protéger votre terrasse du vent, veillez à la planter en travers de la direction des vents dominants.

• L'ensoleillement : vous ne souhaitez évidemment pas que l'ombre de votre haie se projette là où vous vouliez profiter du soleil. Veillez, dans ce cas, à ne pas planter d'arbustes à feuilles persistantes. Songez également que certaines plantes poussent mal lorsqu'elles sont sans cesse à l'ombre des arbres.

Conseil : le gazon pousse difficilement à l'ombre. Préférez donc un tapis d'espèces qui aiment l'ombre, telles que l'anémone des sous-bois *(Anemone nemorosa)*, le trèfle à quatre feuilles *(Oxalis acetosella)*, l'ail ornemental *(Allium ursinum)*, l'aspérule odorante *(Galium odoratum)*, ou le pachysandra *(Pachysandra terminalis)* pour les surfaces plus importantes.

Haie courte séparative devant le fond du jardin.

Construction en coulisse

Les terrains longs et étroits nous paraissent souvent monotones, surtout s'ils sont bordés d'une haie taillée au cordeau. Brisez cette longueur avec des haies courtes ou des petits massifs d'arbustes plantés en quinconce. Cela vous permet non seulement de cacher le fond du jardin, mais également de créer un effet de coulisse qui attire l'attention et éveille la curiosité.

Si vous possédez un grand terrain, vous pouvez utiliser les arbres et les arbustes pour créer différentes « pièces » à thème. Suivant le style des plantations, osez, par exemple, une « roseraie », un « jardin d'eau » ou un « jardin vert ».

Remarque : quel que soit l'usage que vous faites de chaque plantation, ne perdez jamais de vue l'effet d'ensemble et le style que vous voulez donner à votre terrain. Dans un jardin de campagne proche de la nature, évitez une haie de thuyas taillée au cordeau, qui ne conviendra pas plus qu'une haie vive dans un jardin japonais.

Exigences d'emplacement

Vous devez connaître les caractéristiques principales de votre jardin avant de décider du moindre achat, surtout si vous souhaitez

associer diverses espèces en haie libre ou en bosquet. Toutes ont des exigences particulières.

Voici les facteurs que vous devez prendre en compte :
- l'éclairement ;
- la température ;
- l'eau ;
- les éléments nutritifs ;
- la concurrence entre les végétaux.

Ces conditions déterminent l'association des plantes dans la nature, elles sont donc aussi valables pour votre jardin.

Le climat

Il est déterminé par différents facteurs tels que la température, les précipitations, les vents, ou l'ensoleillement. Il a ses propres caractéristiques, et vous ne pourrez pas le modifier ! En revanche, des conditions climatiques d'un endroit dépendent absolument les espèces qui vont y prospérer. Sous un climat doux, comme par exemple celui d'une région viticole, les arbustes exotiques fragiles peuvent pousser, tandis qu'en climat rigoureux tel qu'on le rencontre en montagne, ne poussent que les espèces qui y sont adaptées.

Ci-contre : ce portillon de bois laqué blanc, sous l'arceau de charme taillé, forme une ravissante entrée.

On distingue habituellement trois « niveaux » climatiques.

Le macroclimat

Il est avant tout conditionné par la situation géographique et la latitude terrestre.

Le climat local

Il est généralement limité à une région précise. Il se distingue souvent nettement du macroclimat, car il peut être influencé par l'altitude, la proximité d'une montagne ou d'une étendue d'eau.

Le microclimat

C'est la plus petite « unité » climatique. Il peut parfois se limiter à une partie du jardin. Ainsi, l'abri du mur de la maison, d'un bosquet ou d'une haie l'adoucit-il, surtout en cas d'exposition sud. Vous pouvez y cultiver les espèces les plus fragiles.

Soleil ou ombre

Comme pour toutes les espèces de plantes, les conditions d'éclairement décident du choix des arbustes. Certaines espèces sont terriblement avides de soleil : le buddleia *(Buddleia),* l'érable commun *(Acer campestre),* tandis que d'autres préfèrent l'ombre : le hêtre commun *(Fagus sylvatica)* ou tsuga *(Tsuga canadensis).* N'oubliez pas, lorsque vous composez vos bosquets ou votre haie libre, que les

espèces à croissance rapide font de l'ombre aux espèces dont la pousse est plus lente : tenez-en compte quand vous choisissez ces dernières et préférez des espèces qui réclament peu de lumière.

Le sol

Outre le climat, la composition du sol joue un rôle important dans votre choix. Les arbustes s'arriment au sol par leurs racines qui y puisent l'eau et les sels minéraux nécessaires à leur croissance *(voir les conseils d'entretien, p. 49).* On distingue diverses qualités de sol.

Le sol sableux

Il est composé principalement de particules grossières.

Le sol argileux

Il composé surtout de particules très fines.

Le sol argilo-sableux

C'est un mélange des deux. L'acidité du sol, qui diffère selon la nature de celui-ci, joue un rôle primordial. On la mesure en pH (potentiel Hydrogène), selon une échelle de 0 à 14. Un chiffre bas indique un sol acide, un chiffre élevé un sol alcalin, un pH 7 caractérise un sol neutre. La plupart des arbres et des arbustes apprécient une acidité de 6,5-7. La teneur en calcaire est étroitement liée au pH. Un sol calcaire a un pH élevé.

Un coin agréable à l'abri des regards indiscrets.

La dure vie des végétaux

On sait depuis longtemps que les plantes, comme les humains, souffrent de l'air pollué qui règne dans les grands villes et les régions industrielles. Les arbres, qui ont une longue durée de vie, en sont les premières victimes. La suie et la poussière recouvrent les feuilles d'un film qui laisse à peine passer les indispensables rayons du soleil *(voir Cahier pratique : botanique, p. 8).* Les gaz d'échappement pénètrent par les feuilles et les empoisonnent. La pluie entraîne les substances toxiques dans le sol où elles sont puisées par les racines.

Important : on peut mesurer la résistance des végétaux aux gaz d'échappement mais, pour décider si une plante est adaptée au climat urbain, elle doit aussi pouvoir supporter un air plus sec et plus chaud, un sol compacté et un manque d'espace pour ses racines. De nombreux végétaux qui semblent résister aux gaz d'échappement ne conviennent donc pas pour le climat urbain. Le tableau des arbustes qui protègent du bruit tient compte de ces deux contraintes *(voir p. 18).* Le sel de dégel représente un autre problème. Des espèces comme l'épicéa *(Picea abies),* le lilas *(Syringa vulgaris)* ou le noisetier *(Corylus avellana)* y sont très sensibles, tandis que le caragana *(Caragana arborescens),* le troène *(Ligustrum vulgare)* ou le sureau *(Sambucus nigra)* le supportent à peu près bien.

Les conifères sont les plus exposés

Les conifères sont en général plus exposés que les feuillus, lesquels se décontaminent chaque automne en perdant leurs feuilles, alors que les premiers gardent leurs aiguilles plusieurs années. Les dommages s'accumulent donc. Tous les conifères ne sont évidemment pas exposés au même degré. À côté de certaines espèces très fragiles, comme le sapin *(Abies)*, ainsi que plusieurs variétés d'épicéas *(Picea)* et de pins *(Pinus)*, d'autres sont relativement plus résistantes. C'est le cas, en particulier, du genévrier *(Juniperus)*, de l'if *(Taxus)* et du thuya *(Thuya)*.

Remarque : à ces conditions difficiles s'ajoute le fait que les conifères sont davantage victimes des rejets de gaz des chaufferies. Les périodes de brouillard sont très nuisibles à leur bonne santé.

Les feuillus souffrent aussi

Bien que les feuillus fassent preuve d'une plus grande résistance à la pollution, tous ne sont pas égaux face à ce fléau. Certains résistent particulièrement bien aux gaz

d'échappement et au climat urbain — par exemple le buddleia *(Buddleia davidii)*, le sophora *(Sophora japonica)*, ou le buisson ardent *(Pyracantha)* —, tandis que l'érable du Japon *(Acer palmatum)* ou le hêtre *(Fagus sylvatica)* y sont plutôt sensibles.

Conseil : si vous habitez une région très polluée, veillez à ce que les autres conditions d'emplacement soient optimales pour limiter l'épuisement causé par la pollution de l'air.

Protection contre le bruit

Des expériences ont montré que certaines espèces protègent mieux que d'autres contre les nuisances sonores de la rue. Les feuillus, par exemple, conviennent mieux que les conifères, encore qu'il faille tenir compte de certaines conditions. Voici les plus importantes :
• le feuillage doit être dense du collet au sommet ;
• les feuilles doivent être de très grande taille ;
• leur surface doit être dirigée vers la source de bruit ;
• elles doivent persister jusque tard dans l'automne ou même tout l'hiver.
Plus la haie est large et haute, mieux elle atténue le bruit. Les haies libres sont en général plus efficaces pour vous isoler du bruit que les haies taillées.

Conseil : si vous ne disposez pas d'assez de place pour installer une haie large, construisez un petit talus de terre sur lequel vous ferez vos plantations avec les espèces indiquées. À taille égale, elles sont plus efficaces.

Protection contre les regards indiscrets

En principe, toutes les haies, bosquets ou vivaces de grande taille protègent des regards. Ils doivent seulement être suffisamment hauts. Préférez les feuilles ou les aiguilles serrées. Les espèces qui isolent efficacement du bruit conviennent donc très bien pour vous protéger des regards indiscrets. Plusieurs variétés d'arbustes à fleurs sont idéales. Seuls vos goûts et la place dont vous disposez guideront votre préférence pour des espèces à feuilles caduques ou persistantes, une haie taillée ou une haie libre, ou bien un bosquet *(voir p. 6)*. Vous trouverez des solutions alternatives p. 35.

Les droits du voisin

Le jardin peut, hélas, être aussi une source de conflits entre voisins. Faute d'accord préalable ou de règlement à l'amiable, le recours aux tribunaux est parfois nécessaire, et il n'est pas toujours

Les arbustes qui protègent du bruit

Nom	Exposition	Sol	Résistance aux gaz	Taillée Libre	Particularités
Carpinus betulus Charme	○ – ●	profond, argilo-sableux, supporte le calcaire	moyenne, modérément adapté à la ville	T/L	feuillage durable, couleur dorée en automne
Cornus alba Cornouiller blanc	○ – ●	frais, supporte le calcaire	moyenne	L	rouge en automne
Cornus sanguinea Cornouiller rouge	○ – ◗	sol humifère, supporte le calcaire.	résiste à la sécheresse,	L	rouge flamme en automne
Corylus avellana Noisetier	○ – ●	sol frais, humifère, supporte le calcaire	moyenne, climat urbain	L	fleurs en chatons, mellifères, fruits comestibles
Crataegus x prunifolia Aubépine	○ – ◗	tous sols, aime le calcaire	bonne, climat urbain.	T	orange en automne, fruits rouges
Fagus sylvatica Hêtre commun	○ – ◗	argilo-sableux, riche, supporte le calcaire	moyenne, climat urbain	T	Feuillage durable, doré à brun en automne
Forsythia x intermedia Forsythia	○	tous sols, supporte le calcaire	bonne, climat urbain	L	fleurs jaunes précoces (mars)
Ilex aquifolium (T) Houx	◗ – ●	humifère, argilo-sableux, supporte le calcaire	bonne, s'adapte au climat urbain	T/L	persistant, fruits rouges, attire abeilles et oiseaux
Lonicera caprifolium (T) Chèvrefeuille	○ – ◗	frais, supporte le calcaire	bonne, médiocre au climat urbain	L	fleurs jaunes et roses, baies rouge orangé
Philadelphus coronarius Seringat	○ – ◗	tous sols, supporte le calcaire	bonne	L	fleurs blanches, mellifères
Rhododendron (T) Rhododendron	◗	frais, humifère, craint le calcaire	bonne, médiocre au climat urbain	L	persistant, fleurs magnifiques, mellifères
Syringa vulgaris Lilas	○ – ◗	sol perméable, argilo-sableux, aime le calcaire	bonne, climat urbain, résiste à la sécheresse	L	floraison brillante, parfumée
Viburnum lantana (T) Viorne	◗ – ●	tous sols, aime le calcaire	moyenne, climat urbain	L	fruits rouges, puis noirs, feuillage durable
Viburnum rhytidophyllum Viorne (T)	◗ – ●	argilo-sableux, sec à frais et humifère, supporte le calcaire	moyenne, climat urbain	L	persistante, fleurs blanches, rouges, fruits noirs

Les arbustes qui protègent des regards

Nom	Exposition	Sol	Période de floraison	Taillée Libre	Particularités
Amelanchier canadensis Amélanchier	◗ – ●	perméable, frais, humifère, aime le calcaire	avril-mai blanc crème	L	fruits bleu-noir, mellifère
Berberis stenophylla Épine-vinette	○ – ◗	tous sols, supporte le calcaire	mai-juin jaune	T/L	persistant, baies rouges, mellifère.
Buxus sempervirens Buis	○ – ●	tous sols, supporte le calcaire	avril-mai vert-jaune, inapparente	T/L	persistant feuilles parfumées, mellifère
Chamaecyparis Faux cyprès	○ – ◗	frais, argilo-sableux, supporte le calcaire		T/L	persistant, grand choix de couleurs et de formes
Cornus mas Cornouiller mâle	○ – ◗	argileux, assez sec à frais, supporte le calcaire	mars-avril vert-jaune	T/L	fruits comestibles, belle couleur d'automne

(T) Plante pouvant être toxique en cas d'ingestion en grande quantité.

Nom	Exposition	Sol	Résistance aux gaz	Taillée Libre	Particularités
Cotinus coggygria Arbre à perruque	○ – ◗	sableux, humifère, perméable, aime le calcaire	juin-juillet vert-jaune	L	pédoncules fruitiers rouges, en perruque, feuilles jaune-orange en automne
Cotoneaster Cotoneaster	○ – ◗	tous sols, supporte bien à très bien le calcaire	mai-juin blanc à rouge	L	fruits superbes, mellifère, abri à oiseaux
Crataegus Aubépine	○ – ◗	supporte à aime le calcaire, suivant les variétés	mai-juin blanc à rose	L	orange en automne, fruits rouges, mellifère
Cupresso-cyparis Leylandii Cyprès de Leyland	○ – ◗	argilo-sableux léger, supporte le calcaire		T/L	persistant
Deutzia Deutzia	○ – ◗	frais, craint la sécheresse	juin-juillet blanc, rose	L	feuilles rugueuses, mellifère
Euonymus europea (T) Fusain	○ – ◗	tous sols, aime le calcaire	mai-juin vert-jaune, inapparentes	L	orange en automne, fruits rouges, mellifère
Larix Mélèze	○	sol perméable, frais, supporte le calcaire.		T	jaune en automne, aiguilles caduques
Ligustrum (T) Troène	○ – ◗	tous sols, aime le calcaire	juin-juillet blanc	T/L	violet en automne, baies bleu-noir
Picea abies Épicéa	○ – ◗	sol argilo-sableux, aime le calcaire		T	persistant, fruits remarquables
Prunus Cerisier à fleurs	○	argilo-sableux, frais, humifère, aime le calcaire	avril-mai blanc, rose	T	coloration d'automne, mellifère, fruits
Pyracantha Buisson-ardent	○ – ◗	humide, humifère, perméable, aime le calcaire	mai-juin blanc	T/L	persistant, épineux, fruits orange lumineux
Rosa Rosier buisson	○ – ◗	variable suivant les variétés	mai-octobre variable	T/L	mellifère, fruits, abri à oiseaux
Sorbaria sorbifolia Sorbaria	○ – ◗	frais, perméable	juillet-août blanc	L	mellifère, abri à oiseaux
Spirea Spirée	○ – ◗	frais, humifère, craint parfois le calcaire	avril-septembre blanc	L	parfois colorée en automne, mellifère
Syringa Lilas	○ – ◗	profond, humifère perméable, supporte le calcaire	mai-juin variable	L	fleurs parfumées, mellifère
Taxus baccata (T) If commun	○ – ●	frais, argilo-sableux, aime le calcaire		T/L	persistant, baies rouge lumineux mellifère, abri à oiseaux
Thuya (T) Thuya	○	frais, perméable, supporte le calcaire		T/L	persistant, brunit en hiver, conifère
Tsuga canadensis Tsuga	○ – ◗	frais humifère argilo-sableux, craint le calcaire		T	conifère
Viburnum opulus (T) Boule de neige	◗ – ●	variable selon les variétés	mars-juillet, novembre blanc-crème, blanc	L	parfois persistant, baies rouges, noires, mellifère
Weigelia florida Weigelia	○ – ◗	frais, humifère	mai-juin rouge carmin	L	mellifère

(T) Plante pouvant être toxique en cas d'ingestion en grande quantité.

facile de s'y retrouver dans la forêt des réglementations. La plupart de celles-ci valent pour l'ensemble du territoire national, mais certaines sont exclusivement départementales, voire communales. En principe, un propriétaire est en droit d'exiger la suppression des nuisances en provenance de la propriété voisine s'il peut prouver qu'elles occasionnent réellement une privation de jouissance de son bien.

Remarque : renseignez-vous auprès de votre mairie sur les règles en vigueur dans votre commune avant de planter une haie ou un arbre. Attention, la réglementation peut varier suivant les quartiers de votre lieu de résidence.

Distance de mitoyenneté

Elle dépend de la hauteur et de la distance de plantation entre le tronc de l'arbre ou de l'arbuste et la limite de votre propriété. Mais la règle est assez simple à retenir, que votre mur ou votre clôture soient mitoyens ou non. Ainsi, une haie de moins de 2 m de haut doit être plantée à 50 cm de la limite de votre terrain. Un arbre qui dépasse 2 m doit, lui, être planté à au moins 2 m de cette limite.

Conseil : si votre parcelle est très petite et ne vous permet pas d'appliquer les

règles en vigueur, plantez des fleurs annuelles : elles peuvent atteindre une taille élevée mais échappent à la réglementation.

Accords préalables

Il est toutefois possible de décider, en accord avec le ou les voisins, d'outrepasser la réglementation, de diminuer par exemple la distance mitoyenne légale. Passez toujours un accord écrit, contresigné par les parties concernées. C'est le seul document faisant foi dont vous disposerez dans le cas où un désaccord ultérieur vous mènerait en justice.

Important : il existe un délai au delà duquel toute possibilité de recours auprès des tribunaux n'est plus permise. Renseignez-vous !

Nuisances d'usage

Branches pendantes, feuilles et fruits tombés, mauvaises herbes, racines débordantes, sont des nuisances d'usage pour lesquelles la réglementation est un peu différente.
• Les charges d'usage, par exemple le ratissage des feuilles mortes, doivent être supportées par le propriétaire qui les subit, pour autant qu'elles ne dépassent pas la mesure acceptée localement. Le plus simple est de vous entendre avec votre voisin

pour décider à qui incombe de ramasser les feuilles.
• Vous pouvez faire couper, après intervention auprès du tribunal, les branches et les racines qui dépassent de chez le voisin s'il n'a pas respecté le délai que vous lui aviez accordé pour le faire.

Fruits tombés

• Les fruits de vos arbres vous appartiennent. Vous pouvez les récolter, mais sans toutefois pénétrer sur la propriété voisine.
• Les fruits tombés sur la propriété du voisin lui appartiennent, mais il lui est évidemment interdit de secouer l'arbre afin « d'obtenir » une meilleure récolte.

Protection des arbres

Certains végétaux, lorsque leur tronc dépasse un certain diamètre, ne peuvent être abattus sans autorisation sous peine de poursuites. Renseignez-vous auprès des autorités municipales sur la réglementation en vigueur dans votre commune, et procurez-vous si nécessaire une autorisation avant toute intervention. En ce domaine, les réglementations sont extrêmement variables.

Bien que planté à distance légale, le tamaris a conquis la clôture.

Aménager l'espace

Qu'elle soit taillée ou libre, verte seulement l'été ou toute l'année, fleurie ou à feuillage coloré, la haie vous permet de réaliser tous vos rêves de « salon de verdure ». Vous trouverez dans les pages qui suivent mille idées et exemples pour en tirer le meilleur parti.

En haut : épis fleuris du laurier-cerise
À gauche : l'arrondi de cette haie taillée forme un arrière-fond élégant pour les arbustes à fleurs.

Haies taillées

Les haies taillées étaient particulièrement appréciées aux XVIe et XVIIe siècles. Des haies basses de buis en colimaçon ou des rubans de haie en méandres structuraient l'espace des jardins et des parcs. Lorsque les goûts changèrent et que les jardins à l'anglaise, plus proches du parc, remplacèrent les jardins rigoureux à la française, les haies taillées furent utilisées pour d'autres usages : clôturer la propriété, protéger des regards, diviser le jardin ou, simplement, harmoniser et décorer.

Si vous avez peu de place

Si vous ne disposez pas d'assez de place pour une haie libre, optez pour la haie taillée.
Prévoyez avant tout la hauteur qu'elle pourra et devra atteindre à l'endroit prévu.
• De la hauteur et de la largeur voulues dépend le choix de l'espèce.
• Ne choisissez pas des espèces à croissance rapide si vous voulez seulement diviser discrètement le jardin ; vous devriez alors multiplier les tailles pour entretenir votre haie.
• Les espèces à faible croissance protègent mal des regards indiscrets : ne les plantez pas côté rue.

Les espèces qui supportent la taille

À feuilles caduques

• Aubépine (*Crataegus oxyacantha*)
• Charme (*Carpinus betulus*)
• Cognassier du Japon (*Chaenomeles japonica*)
• Cotoneaster (*Cotoneaster franchetii, C. dielsianus, C. lacteus*)
• Érable commun (*Acer campestre*)
• Épine-vinette (*Berberis thunbergii, Berberis thunbergii 'Atropurpurea'*)
• Forsythia (*Forsythia*)
• Hêtre commun (*Fagus sylvatica*)
• Troène (*Ligustrum*)

À feuilles persistantes

• Buis (*Buxus sempervirens*)
• Buisson ardent (*Pyracantha*)
• Épine-vinette (*Berberis*)
• Houx (*Ilex aquifolium*)
• Laurier-cerise (*Prunus laurocerasus*)
• Troène (*Ligustrum*)

Conifères

(tous persistants sauf *Larix*)
• Cyprès de Leyland (*Cupressocyparis x leylandii*)
• Épicéa (*Picea abies, P. omorika*)
• Faux cyprès (*Chamaecyparis*)
• If (*Taxus baccata, T. cuspidata*)
• Mélèze (*Larix europaea*)
• Tsuga (*Tsuga canadensis*)

Le bon choix

Pour former une belle haie taillée qui vous satisfera longtemps, les plantes doivent remplir certaines conditions :
• avoir une longue durée de vie ;
• pousser en hauteur et en épaisseur ;
• bien supporter la taille ;
• avoir une croissance rapide afin d'atteindre en peu de temps la hauteur désirée.

Remarque : en principe, on peut tailler tous les arbres, mais peu d'espèces supportent d'être sans cesse retaillées. On considère en général que les espèces à feuilles grandes, molles ou très découpées sont à éviter : les feuilles s'abîment et brunissent sur le pourtour. Vu le coût de telles haies, il importe de vérifier que les espèces choisies supportent la taille.

Feuillage caduque ou persistant ?

Que vous choisissiez des espèces à feuilles caduques ou à feuilles persistantes est

Il fait bon s'asseoir à l'abri de ces petites haies taillées.

pure affaire de goût. Votre choix dépend aussi en grande partie de l'utilisation à laquelle vous les destinez.

Haie à feuilles persistantes

Elle vous protège du bruit et des regards indiscrets hiver comme été si vous habitez une rue où le trafic des véhicules et le passage des piétons sont importants.

Haie à feuilles caduques

Elle convient mieux à l'intérieur du jardin, pour isoler la terrasse ou le potager, car elle laisse passer les rayons du soleil en hiver et, surtout, au printemps. Les haies taillées de couleur sombre forment un bel arrière-fond devant des massifs généreux de roses ou de fleurs — vivaces ou annuelles —, un bosquet de rhododendrons ou d'autres arbustes fleuris. Le vert sombre apaisant de cet arrière-fond fait d'autant mieux ressortir les couleurs lumineuses des autres plantes.

Remarque : on revient de plus en plus à la taille géométrique des haies en boule, en pyramide, ou même en forme d'animaux.

Haies libres

Les haies libres, c'est-à-dire non taillées, ont un chic particulier. Leur structure aérée offre un cadre vivant qui semble naturel, spontané, « écologique » et sauvage. Cette impression se vérifie non seulement à la vue des arbustes qui poussent à l'état naturel dans nos régions, mais aussi face aux espèces « étrangères », importées et plus délicates, telles que, par exemple, exochorda *(Exochorda racemosa)* ou weigelia (variétés de *Weigelia)*. Leur abondante et somptueuse floraison attire les regards tout en se mariant harmonieusement aux espèces originaires de nos latitudes.

Beaucoup de place

Une haie naturelle ne s'accommode pas d'espaces exigus. En comparaison avec la haie taillée, elle nécessite, pour se développer, de beaucoup plus de place. Pensez-y au moment où vous effectuez votre plantation. La plupart de nos beaux arbres pour haies atteignent plusieurs mètres de hauteur, et leur largeur est évidemment proportionnelle à celle-ci. Réservez absolument les haies libres aux terrains suffisamment grands pour les accueillir.

Conseil : vous devrez disposer d'environ 3 m de largeur pour aménager une haie libre. Vous devez vous décider à effectuer votre plantation sur une ou deux rangées *(voir Cahier pratique : plantation, p. 44).* Voici quelques points de repère qui vous permettront d'évaluer l'espace nécessaire :

• dans un petit jardin, plantez une seule rangée ;
• n'oubliez pas de calculer la distance de mitoyenneté ;
• les arbustes se plantent à environ 1,5 m de distance les uns des autres, davantage pour les sujets à fort développement ;
• une plantation sur deux rangées se fait en quinconce, en espaçant les rangées de 1,5 m.

Peu d'entretien

Les critères relatifs à l'esthétique et à l'espace dont vous disposez sont importants. Cependant, lors de la plantation, ne négligez pas les obligations d'entretien qu'imposent certaines espèces. Si vous n'avez ni le temps ni l'envie de supporter les contraintes de tailles régulières, vous choisirez sans hésiter une haie libre qui se contente d'une taille d'éclaircissement au printemps pour garantir floraison et croissance généreuses *(voir Cahier pratique : taille, p. 50).* Il faut d'ailleurs être prudent quant à la taille : à être trop souvent rabattues, de nombreuses espèces perdent leur silhouette caractéristique qui fait leur charme.

Mélangez les styles

Une haie libre se prête à un grand nombre de variations ; vous en trouverez des exemples ci-dessous.

Que votre choix se porte sur des espèces à feuilles caduques ou persistantes, des arbustes à fleurs, une haie vive ou une association de ces différents styles, cela reste une affaire de goût personnel. Mais, quelles que soient vos préférences, la décision que vous allez prendre dépend aussi étroitement de l'effet recherché. Il est possible de distinguer deux partis pris de composition.

La haie composée d'une seule et même espèce

Elle offre un aspect unifié et paisible. Elle vous épargne le souci de concilier les diverses exigences d'emplacement ou de culture des différentes espèces.

La haie composée d'espèces variées

La composition donne sans nul doute quelques soucis au moment de sa réalisation et exige peut-être davantage d'entretien. En revanche, elle offre au regard une réalisation plus variée. Avec un peu d'adresse vous pourrez jouir toute l'année d'un superbe spectacle en combinant les floraisons, les formes et les couleurs des feuillages, et d'éclatantes fructifications.

Bosquets

Dans certains jardins, on peut préférer composer des bosquets d'arbres et

Cette haie de bambous légers donne une touche exotique.

d'arbustes non taillés. Ici encore, c'est leur assortiment qui compte. Plus le terrain est petit, plus délicates doivent être les espèces choisies. À l'inverse, des buissons bas semblent perdus dans un grand jardin.

En fonction de la place dont vous disposez, choisissez un ou deux sujets « phares », arbre ou grand arbuste, et quelques sujets secondaires, en général trois à six arbres ou arbustes de petite taille. Leur fonction consiste à souligner l'effet du ou des sujets « phares ». Choisissez des espèces de différentes hauteurs pour animer le tableau. On associe, par exemple, avec bonheur un arbre à fleurs remarquables — comme le cerisier à fleurs (*Prunus serrulata*, nombreuses variétés) ou le pommier ornemental *(Malus)* — avec des espèces plus neutres. Un arbre à feuillage coloré comme l'érable du Japon *(Acer palmatum)* se marie

Les clématites forment des haies touffues et fleuries. Elles sont un peu exigeantes, aussi faut-il leur offrir une terre fertile légèrement calcaire et les palisser.

Épine-vinette dans différents tons de vert. *L'oreille d'ours offre un contraste de couleurs.*

parfaitement avec des arbustes à feuillage argenté. Mais attention ! Faites un usage modéré des couleurs, surtout si vous associez plusieurs arbustes qui fleurissent aux mêmes périodes : sans réflexion préalable, vous risquez d'obtenir un effet trop désordonné.

Combinez les espèces

Voici quelques suggestions de combinaisons possibles pour vos groupes d'arbres. Vous pouvez évidemment en inventer d'autres et, si vous avez la place, planter un sujet phare supplémentaire.

Dans un grand jardin

Pour sujet principal, choisissez de préférence l'érable *(Acer platanoides),* le hêtre *(Fagus sylvatica)* ; au centre, plantez quelques amélanchiers *(Amelanchier),* des noisetiers *(Corylus avellana)* et des cornouillers mâles *(Cornus mas).*

Dans un petit jardin

Pour sujet principal, un acacia doré *(Robinia pseudoacacia)* ou un pommier à fleurs *(Malus floribunda)* conviennent particulièrement. Afin d'équilibrer votre composition, vous pouvez y associer des espèces plus

basses telles que la corète du Japon *(Kerria japonica),* le sorbaria *(Sorbaria sorbifolia),* le seringat *(Philadelphus cymosus)* ou le groseillier à fleurs *(Ribes sanguineum).*

Bosquet de feuillus et conifères

Selon la place dont vous disposez, plantez une ou plusieurs espèces. Parmi les arbres qui conviennent pour sujet principal, choisissez le mélèze *(Larix europaea),* le sapin *(Abies koreana),* le sapin de Douglas *(Pseudotsuga menziesii)* ou le pin *(Pinus).* Vous leur associerez avec bonheur rhododendron

Épine-vinette en fleurs devant des arbres ornementaux.

vous serez libéré des soucis de taille. On croit parfois que seuls les conifères sont persistants, alors qu'il existe quantité d'arbustes feuillus persistants qui se prêtent particulièrement bien à la formation des haies libres. On les remarque à leurs feuilles dures, coriaces et souvent luisantes. Certains de ces arbustes vous séduiront pour leur floraison généreuse, qu'il s'agisse du rhododendron (*Rhododendron,* l'espèce et toutes ses variétés) ou de l'andromède *(Pieris).* Le buisson ardent *(Pyracantha)* et l'épine-vinette *(Berberis)* se parent de baies éclatantes qui restent sur les branches jusqu'au cœur de l'hiver et nourrissent ainsi toute une faune *(voir Haies vives, p. 31).* Autant d'espèces qui vous éviteront la corvée de la taille !

(nombreuses variétés de *Rhododendron*), andromède *(Pieris floribunda, P. japonica)* et cornouiller rouge *(Cornus sanguinea).*

Protection permanente contre les regards
Les haies persistantes présentent l'avantage de vous protéger toute l'année des regards indiscrets. Elles s'imposent donc si votre jardin donne sur une rue importante ou est exposé au vent et au mauvais temps *(voir Planifier la plantation, p. 5 à 21).* Ne vous rabattez pas d'office sur la classique haie de thuyas taillés au cordeau. Il existe suffisamment d'espèces et de variétés qui, à l'état naturel, sans taille, présentent une silhouette étroite et compacte qui convient aux plus petits jardins.

Les arbustes feuillus persistants
Plutôt qu'une haie taillée de végétaux persistants, optez pour une haie libre qui peut combiner divers arbustes à feuilles persistantes. Vous devez, bien sûr, vérifier que l'emplacement que vous leur destinez convient à leur développement. En revanche,

Toutes les couleurs des conifères
Les conifères vous sont maintenant proposés dans de nombreux coloris. Toutes les nuances de vert, de gris, d'argenté, de bleu ou de jaune sont représentées. Mais prudence ! Réfléchissez bien avant de multiplier les tons. Tenez compte du style que vous souhaitez donner à votre jardin, ainsi que de la maison et de l'environnement.

Les avis sont certainement partagés quant à savoir si une haie bleue, jaune ou multicolore est bien le cadre qui convient le mieux à votre chalet savoyard !

Conseil : il est tout à fait possible de combiner avec harmonie feuillus et conifères dans la même haie ou le même bosquet.

Haies à feuilles caduques

Si vous ne voyez pas la nécessité de vous protéger des regards et du bruit toute l'année, optez plutôt pour une haie libre de plantes à feuilles caduques.
Non seulement elle offre l'avantage de laisser passer le soleil en hiver, mais elle permet également des combinaisons plus nombreuses et variées qu'une haie d'arbustes persistants.
À cela s'ajoutent les attrayantes caractéristiques suivantes.

Une floraison généreuse

(Voir Les arbustes à fleurs pour haies, p. 34). Qui ne céderait pas aux charmes d'une haie de rosiers fleuris ?

Des feuillages colorés ou panachés

Ils allègent et diversifient avec bonheur le vert dominant. Ce nombreux choix de couleurs permet de jouer de toutes les nuances de

---

Choix d'arbustes persistants

Feuillus à feuillage persistant ou hivernal

(On peut choisir entre les différentes variétés de chaque espèce.)

- Épine-vinette *(Berberis)*
- Buis *(Buxus sempervirens)*
- Cotoneaster *(Cotoneaster)*
- Houx *(Ilex)*
- Troène *(Ligustrum vulgare)*
- Lonicera *(Lonicera nitida et Lonicera x purpusii)*
- Mahonia *(Mahonia aquifolium)*
- Andromède *(Pieris)*
- Laurier-cerise *(Prunus laurocerasus)*
- Buisson ardent *(Pyracantha)*
- Rhododendron *(Rhododendron)*
- Viorne à feuilles persistantes *(Viburnum rhytidophyllum)*

Conifères à port élancé en fuseau

- Faux cyprès (certaines variétés de *Chamaecyparis*)
- Cyprès de Leyland *(C. leylandii 'Castlewellan Gold' et 'Mellow Yellow')*
- Genévrier *(Juniperus chinensis, J. communis, J. scopulorum)*
- Épicéa *(Picea abies 'Morslandia', 'Inversa', P. glauca 'Conica', P. omorika)*
- If *(Taxus baccata 'Fastigiata')*

---

la palette : par exemple l'érable à feuilles blanches ou jaunes *(Acer negundo 'Variegatum' et 'Flamingo')*, le cornouiller blanc *(Cornus alba)* et le fusain *(Euonymus fortunei)* offrent des variétés panachées. Certains érables du Japon *(Acer palmatum)* ou l'arbre à perruque *(Cotinus coggygria 'Royal purple')* ont un feuillage rouge, comme certains hêtres *(Fagus sylvatica 'Purpurea' et 'Purpurea Latifolia')* ou le prunus *(Prunus cerasifera 'Atropurpurea').*

Des couleurs flamboyantes en automne.

Certains arbustes à feuilles caduques apportent de la vie au jardin quand le temps devient maussade et triste : c'est le cas en particulier de l'érable *(Acer)*, de l'amelanchier *(Amelanchier laevis)*, du hêtre *(Fagus sylvatica)*, de l'hamamélis *(Hamamelis mollis)*, du mélèze *(Larix)* et du sumac *(Rhus typhina et R. glabra)*, mais il existe beaucoup d'autres espèces qui présentent le même avantage.

L'hortensia conserve son charme nostalgique bien au delà de sa somptueuse floraison.

Des fruits multicolores.
Les espèces qui poussent naturellement dans nos régions fournissent souvent des fruits colorés qui tiennent tout l'automne et même une partie de l'hiver *(voir Haies vives, p. 31)*. Les oiseaux s'y nourrissent et leur pépiement fait la joie du jardin à la mauvaise saison.

Conseil : l'écorce de certaines espèces, dont l'éclat tranche brillamment sur les tons plutôt ternes de l'hiver, en fait surtout des arbres ornementaux : il en est ainsi du bouleau *(Betula)*, de certains érables *(Acer capadocicum, Acer griseum)*, du cornouiller blanc *(Cornus alba 'Sibirica')* et rouge flamme *(Cornus sanguinea)* ou du cerisier à fleurs *(Prunus serrula)*.

Haies vives
Une des formes particulièrement écologiques de la haie libre est la haie vive, que l'on rencontre souvent dans la nature, là où personne ne choisit ni n'entretient les plantes qui s'y développent.
Elles s'associent d'elles-mêmes, en fonction des conditions qui prévalent sur place et qui conviennent à leur croissance. En très peu de temps, les animaux les plus variés viennent s'y nicher pour y trouver abri et nourriture : oiseaux, mammifères, amphibiens, insectes, araignées y vivent et se

Les fruits rouge flamboyant de la boule de neige attirent oiseaux et autres petits animaux.

nourrissent les uns à côté des autres et, surtout, les uns des autres.

Ainsi se forme un équilibre naturel dans lequel faune et flore ont leur place. Vous pouvez tout à fait recréer cet équilibre dans votre jardin en composant une haie vive à partir d'espèces locales : sachez, par exemple, que l'osier blanc *(Salix viminalis)* nourrit plus de 100 espèces d'insectes, tandis que le sumac d'Amérique du Nord, qui pousse également dans nos régions, n'en nourrit pas une seule. Cela ne doit évidemment pas vous interdire d'associer dans votre haie vive quelques espèces étrangères, telles que les deutzias *(Deutzia)* et weigelias *(Weigelia),* aux espèces locales.

Conseil : tenez compte de l'environnement pour orienter votre choix. Quand vous vous promenez, ouvrez bien les yeux et observez attentivement la faune et la flore.

La nature vous désigne les espèces végétales qui conviennent le mieux à votre haie vive. Chaque région se caractérise par des plantes qui lui sont propres. Les sociétés horticoles et autres associations de jardiniers de votre commune ou de votre département sauront vous renseigner et vous conseiller sur les espèces végétales locales qui correspondent le mieux à vos attentes et à vos envies.

L'équilibre écologique

Dans une haie vive, l'équilibre écologique dépend des rapports de forces qui se créent entre les organismes utiles et ceux qui sont nuisibles.

S'il y a, par exemple, beaucoup de pucerons, les coccinelles se multiplient vite puisqu'elles s'en nourrissent. Si la population de pucerons diminue sensiblement, celle des coccinelles se réduit d'autant. Mais attention ! Encore faut-il que l'environnement convienne à ces dernières, faute de quoi elles ne viennent pas s'établir et les pucerons pullulent et ravagent vos végétaux.

Abri et nourriture des oiseaux

Les oiseaux sont des hôtes bienvenus dans un jardin car ils l'animent. Une haie vive est idéale pour les attirer car les espèces les plus variées peuvent s'y établir et y cohabiter. De ce point de vue, on distingue deux sortes de végétaux.

Les végétaux qui abritent les oiseaux.

Ils se caractérisent par des branches serrées, entrelacées, parfois couvertes d'épines ou d'aiguillons. Les oiseaux y trouvent un bon abri et sont ainsi protégés de leurs prédateurs. Parmi ces espèces, on compte, entre autres, l'épine-vinette *(Berberis)*, l'aubépine *(Crataegus)*, le troène commun *(Ligustrum vulgare)*, le prunus *(Prunus spinosa)*, le rosier arbuste *(Rosa)*, le mûrier *(Rubus)*, mais également certains conifères tels que l'if *(Taxus baccata)* ou l'épicéa *(Picea)*.

Les végétaux qui nourrissent les oiseaux.

Ils portent des fruits vivement colorés, comme le cornouiller mâle *(Cornus mas)*, le fusain commun *(Euonymus europaeus)*, l'argousier *(Hippophae rhamnoides)*, le lonicera *(Lonicera maackii)*, le pommier sauvage *(Malus)*, le cerisier des oiseaux *(Prunus avium)*, le rosier arbuste *(Rosa)*, le sureau *(Sambuccus)*, le sorbier des oiseaux *(Sorbus aucuparia)*, la viorne boule de neige *(Viburnum opulus)*, mais aussi l'érable *(Acer)*, le saule *(Salix)* ou l'if *(Taxus baccata)*.

Remarque : de nombreux arbres pour haies vives portent des fruits délicieux. C'est le cas, par exemple, du cornouiller mâle *(Cornus mas)*, du noisetier *(Coryllus avellana)*, de l'argousier *(Hippophae rhamnoides)*, du prunus *(Prunus spinosa)* ou du sureau noir *(Sambucus nigra)*.

Haies mellifères

Chaque printemps, vous attendez avec impatience que les abeilles visitent votre jardin. Elles ne se contentent pas de vous donner leur miel savoureux, mais jouent aussi un rôle important dans la pollinisation de nombreuses espèces, de nos arbres fruitiers en particulier.

Il importe donc de leur offrir une nourriture de qualité, des fleurs simples, beaucoup plus riches en nectar. Les fleurs composées sont nettement moins attirantes pour les abeilles.

Les abeilles et les papillons aiment surtout l'érable (variétés d'*Acer*), l'amélanchier *(Amelanchier lamarckii)*, le cognassier du Japon (variétés de *Chaenomeles*), l'arbre à papillons (variétés de *Buddleia*), le forsythia (variétés de *Forsythia*), la potentille (variétés de *Potentilla*), la spirée (variétés de *Spirea*), le lilas (variétés de *Syringa*).

Haies fleuries de printemps

Les arbustes fleuris et parfumés sont parmi les plus belles choses qu'offre le jardin. Surtout au sortir des longs mois d'hiver, alors que les premières fleurs et feuilles apparaissent sur les rameaux dénudés : on sent alors vraiment la

Les arbustes à fleurs pour haies

Floraison de printemps

- Amélanchier (variétés d'*Amelanchier*), blanc, avril
- Cognassier du Japon (variétés de *Chaenomeles*), blanc à rouge, avril-mai
- Cornouiller mâle *(Cornus mas)*, jaune, février-avril
- Deutzia (variétés de *Deutzia*), blanc, mai-juin
- Forsythia (variétés de *Forsythia*), jaune, mars-avril
- Hamamélis (variétés d'*Hamamelis*), jaune, rouge, janvier-février
- Corète du Japon *(Kerria japonica),* jaune, avril-mai
- Joli buisson *(Kolkwitzia amabilis),* rose, mai-juin
- Cytise (variétés de *Laburnum*), jaune, mai-juin
- Chèvrefeuille *(Lonicera caerulea),* jaune, avril-mai
- Cerisier à fleurs (variétés de *Prunus*), blanc à rose, mars-mai
- Buisson ardent (variétés de *Pyracantha*), blanc, mai
- Groseillier à fleurs (variétés de *Ribes*), jaune, rouge, avril
- Rosier arbuste (variétés de *Rosa*), nombreux coloris, mai-octobre
- Spirée (variétés de *Spirea*), blanc à rose, avril-août
- Lilas (variétés de *Syringa*), nombreux coloris, mai
- Boule de neige (variétés de *Viburnum*), blanc à rose clair, février-juin

- Marronnier *(Aesculus parviflora),* blanc, juillet-août
- Baguenaudier *(Colutea arborescens),* jaune, juin-juillet
- Arbre à perruque *(Cotinus coggygria),* jaune-vert, juin-juillet
- Hortensia (variétés d'*Hydrangea*), divers coloris, juin-août
- Millepertuis (variétés d'*Hypericum*), jaune, juillet-septembre
- Lavande (variétés de *Lavandula*), bleu à violet, juillet-septembre
- Rosier arbuste (variétés de *Rosa*), nombreux coloris, juin-octobre
- Sorbaria *(Sorbaria aitchisonii),* blanc, juin-juillet

Floraison d'automne

- Caryopteris (variétés de *Caryopteris*), bleu, août-octobre
- Hamamélis de Virginie *(Hamamelis virginiana),* jaune, novembre-décembre
- Hibiscus *(Hibiscus syriacus),* nombreux coloris, août-octobre
- Jasmin d'hiver *(Jasminum nudiflorum),* jaune, décembre-février
- Perovskia (variétés de *Perovskia*), bleu, août-octobre
- Cerisier d'automne *(Prunus subhirtella 'Automnalis'),* rose, novembre-décembre
- Viorne parfumée *(Viburnum farreri),* rose, novembre-mars

vie reprendre. Certaines espèces, comme le cornouiller, l'andromède ou le noisetier, fleurissent même dès février.

La profusion généreuse des arbustes à floraison précoce peut vous entraîner à l'excès. Il vous faut bien connaître la période de floraison de chaque espèce choisie pour être sûr que les couleurs s'harmoniseront.

Certaines espèces, comme le forsythia, ont un caractère dominateur : dans une haie, elles risquent d'écraser tous les autres arbustes. Réfléchissez donc bien avant de faire votre choix. Il existe une quantité de nuances de rose et de rouge, soyez-y attentif quand vous dessinez votre plan, surtout lorsqu'il s'agit d'associer du jaune et de l'orange. Quelques espèces à fleurs blanches ou vertes rétabliront l'équilibre.

Remarque : n'oubliez pas, en dehors de ces considérations esthétiques, les exigences botaniques. Elles doivent impérativement être les mêmes pour les différentes espèces que vous associez.

Haies d'été

La plupart des arbustes pour haies fleurissent au printemps ou au début de l'été.

Cette haie débordante de roses est un régal pour les yeux.

L'abondance de la floraison augmente à mesure que la période chaude et ensoleillée de l'année avance. Cela s'explique par le temps nécessaire à la formation et à la maturation des fruits. Toutefois, quelques arbres de toute beauté conservent leurs fleurs jusqu'à la fin de l'été. Les principes esthétiques et botaniques que vous devez respecter sont les mêmes que ceux concernant les haies à floraison printanière.

Conseil : certaines espèces présentent des variétés qui fleurissent à des époques très différentes. Au moment de l'achat, vérifiez la période de floraison de la variété que vous avez choisie pour éviter les surprises.

Belles en automne et en hiver

Outre les merveilleuses teintes d'automne et les fruits colorés qu'elles offrent à la vue, certaines espèces de haies fleurissent jusqu'en automne, voire jusqu'au cœur de l'hiver. Elles apportent ainsi des touches de lumière à cette période de l'année plutôt sombre et triste.

Alternatives
Grillage

Si votre jardin est très petit, préférez un grillage qui n'isolera pas votre espace vert du reste de l'environnement extérieur.

Un grillage couvert de plantes grimpantes est une bonne protection contre les regards.

Les fleurs de bignone, à l'allure exotique sont facilement reconnaissables à leurs trompettes rouge orangé. Elles s'épanouissent en cascades tout l'été.

Pour le décorer, garnissez-le de plantes grimpantes. Choisissez un modèle simple en métal inoxydable ou gainé de plastique et à poteaux de bois bien imprégnés. Une fois vos plantes bien installées, la clôture est plus difficile à entretenir.

Important : les grillages garnis de plantes grimpantes doivent avoir une bonne assise dans le sol pour ne pas s'effondrer sous le poids de celles-ci.

Le tableau ci-contre vous propose un choix de belles plantes à palisser sur espalier, fil tendu, lattes de bois, etc. Vous pouvez associer les plantes grimpantes avec des arbustes et des fleurs vivaces, ou bien mélanger diverses espèces.

Conseil : associez les vivaces et les annuelles. Les annuelles, qu'il faut renouveler chaque année, apportent de la variété au paysage.

Mur

Les pierres naturelles sont plus belles que le béton. Garni de plantes vertes, votre mur perd son aspect monotone. Jardinières et coupes garnies de plantes retombantes au sommet du mur mettent la dernière touche décorative. Là aussi, il est vraisemblable que vous aurez besoin d'un support pour que vos plantes grimpantes s'y accrochent. Si vous choisissez des espèces à feuilles caduques, choisissez un treillage en bois ou en plastique qui, une fois dénudé, restera malgré tout décoratif.

Paravent

Un paravent ou une clôture de paille tressée garnis de plantes grimpantes protègent discrètement et efficacement votre terrasse des regards. Si vous êtes bricoleur, montez la cloison sur roulettes afin de la déplacer selon vos besoins.

Haie fruitière

Si vous ne voulez ni grillage, ni mur, c'est la solution idéale. Elle vous donne en outre des fruits. Choisissez des pommiers ou des poiriers de petite taille, ce sont les espèces les plus faciles à entretenir. Vous aurez cependant besoin d'un palissage de bois ou de fils de fer tendus à l'horizontale pour assujettir les branches.

Les plus belles plantes grimpantes

Vivaces

- Actinidia (*Actinidia chinensis*) ou kiwi, à palisser, fruits comestibles
- Akébie (*Akebia quinata*), liane à fleurs parfumées
- Aristoloche (*Aristolochia*), s'enroule seule
- Bignone (*Campsis*), racines grimpantes
- Bougainvillée (*Bougainvillea*), pour les jardins ensoleillés et chauds, à palisser
- Célastrus (*Celastrus orbiculatus*), support solide
- Chèvrefeuille (Lonicera), à palisser
- Clématite (*Clematis*), à palisser
- Fusain (*Euonymus fortunei*),racines grimpantes
- Glycine (*Wisteria*), à palisser
- Hortensia grimpant (*Hydrangea anomala ssp. petiolaris*), racines grimpantes
- Houblon (*Humulus lupulus*), à palisser
- Jasmin d'hiver (*Jasminum nudiflorum*), sarmenteuse
- Lierre (*Hedera helix*), racines grimpantes
- Passiflore (*Passiflora cearulea*), la fleur de la Passion, s'enroule d'elle-même sur le support
- Plumbago (*Plumbago capensis*), fleurs en bouquets bleu tendre, à palisser
- Renouée (*Polygonum aubertii*), à palisser
- Rosier grimpant (*Rosa*), sarmenteux
- Schizophragma (*Schizophragma hydrangeoides*), cousin de l'hortensia, à palisser
- Solanum (*Solanum crispum*), à palisser
- Vigne (*Vitis*), à palisser
- Vigne vierge (*Parthenocissus*), à vrilles ou ventouses

Annuelles

(Toutes doivent être palissées)

- Capucine (*Tropaelum*)
- Cobée grimpante (*Cobaea scandens*)
- Dolique (*Dolichos labbab*)
- Haricot d'Espagne (*Phaseolus coccineus*)
- Houblon du Japon (*Humulus japonicus*)
- Liseron des haies (*Ipomaea*)
- Pois de senteur (*Lathyrus odoratus*)
- Thunbergie ailée (*Thunbergia alata*)

La culture des arbustes

*Les arbres sont symboles de force,
de santé et de vigueur. Encore faut-il,
pour qu'ils méritent leur réputation,
qu'ils soient choisis à bon escient,
jouissent d'un emplacement et
de soins de culture adéquats.*

*En haut : rosier buisson 'Blanche neige'.
À gauche : cet arceau de hêtre taillé,
bordé de rhododendrons généreux,
vous invite à entrer.*

Cette forêt de rhododendrons opulents exige un sol acide comme la terre de bruyère.

Qualité du sol

Avant d'acheter et de planter les végétaux qui composeront vos haies, vous devez d'abord connaître la qualité de votre sol afin de respecter les exigences des diverses espèces *(voir tableau, p. 18)*. Pour être tout à fait rassuré, apportez un échantillon à votre jardinerie qui le confiera à un laboratoire : vous recevrez en retour la composition de votre sol, sa teneur en pH et en sels minéraux, ainsi que des conseils pour l'améliorer.

Remarque : il peut être nécessaire de faire analyser la teneur en éléments toxiques, par exemple si votre jardin borde une voie dont le trafic est intense. Tenez compte de la résistance des plantes que vous choisissez, par exemple pour ce qui concerne leur réaction au sel de dégel.

Les différentes couches

Le sol de votre jardin est composé de plusieurs couches qui se superposent. Les couches superficielles sont les plus importantes pour la croissance des plantes.

L'humus

Il forme la couche supérieure. On appelle ainsi les éléments organiques morts contenus dans le sol. Les petits animaux, les champignons et les bactéries remuent ces déchets organiques et les mêlent aux autres couches. Plus vos végétaux ont une croissance rapide, plus épaisse doit être la couche d'humus. Celle-ci constitue le facteur principal de la qualité du sol, car elle stocke l'eau et les éléments nutritifs, et assure la légèreté et l'aération du sol.

Le sol

Le sol lui-même se situe directement sous la couche d'humus mais n'est pas très profond. Il est composé d'une proportion encore relativement importante d'humus.

Le sous-sol

Il est souvent nettement plus profond mais contient beaucoup moins d'humus. La profondeur des différentes couches est très importante pour les arbres : un sol profond de 60 cm au minimum offre plus d'espace au développement des racines et assure une meilleure alimentation en eau et en sels minéraux qu'un sol moins profond, par exemple de 20 à 30 cm d'épaisseur.

Remarque : réservez les sols peu profonds aux arbustes à racines superficielles tels que le saule *(Salix caprea)* ou l'épine-vinette *(Berberis).*

Améliorer le sol

Les mesures à prendre pour l'améliorer dépendent de la qualité du sol d'origine.

Le sol sableux

Il est souple, à grains assez grossiers. Il est bien perméable, aéré, et se réchauffe vite.

En revanche, il sèche aussi très vite et retient difficilement les éléments nutritifs. On l'améliore avec des apports de compost bien décomposé et d'alluvions argileux.

Le sol argileux

Il est très lourd et imperméable, ce qui peut entraîner la pourriture des racines par manque d'air si l'eau stagne. Par ailleurs, il ne se réchauffe que lentement. En revanche, il présente l'avantage de retenir l'eau et les sels minéraux. On allège et améliore les sols argileux par des apports de compost bien décomposé et de sable à gros grains.

La terre franche,

Le terre franche, en particulier argilo-sableuse, combine les avantages des deux premiers sols et convient à presque tous les arbres et arbustes.

Conseil : si votre sol est très compact, il vous faut l'amender par des apports d'engrais vert en semant au printemps un mélange de fleurs annuelles. Leurs racines assouplissent le sol et l'enrichissent en azote. On les coupe avant floraison et on les laisse pourrir sur place sous forme de paillis, ou on les incorpore en surface.

Le compost

Il est idéal pour tout type de sol. Il enrichit les sols sableux trop légers et leur

permet de retenir l'eau et les sels minéraux. Il allège les sols argileux, les aère, et leur permet ainsi de se réchauffer plus vite.

Remarque : pour les espèces qui aiment l'acidité — le cornouiller à fleurs *(Cornus florida)* ou le tsuga *(Tsuga canadensis)* —, on peut couvrir le sol d'une couche d'aiguilles de conifères qui feront baisser le pH.

Un massif de terre de bruyère

Certaines plantes très sensibles au calcaire — le rhododendron *(Rhododendron)* ou le laurier des montagnes *(Kalmia)* — ne poussent pas en terre alcaline.
Si vous ne craignez pas la dépense, construisez un massif de terre de bruyère.
• Enlevez la terre sur au moins 60 cm de profondeur.
• Tapissez les parois du trou d'une feuille de plastique pour empêcher le calcaire de pénétrer.
• Couvrez le sol sur 10 à 20 cm d'écorces hachées ou de branchages.
• Complétez avec de la terre de bruyère et mettez vos végétaux en place.

Où acheter

Il existe différents circuits de distribution où vous pouvez acheter vos végétaux.

- En pépinière, vous voyez les végétaux à l'état de nature ; vous jugez sur pièce et vous pouvez bénéficier des conseils de spécialistes.
- Les jardineries vous proposent aussi des arbres. Cependant, on constate parfois de grandes disparités dans la qualité des marchandises.
- En achetant par correspondance auprès des grandes maisons, vous pouvez tranquillement choisir chez vous sur catalogue et, en général, la qualité est garantie.
- Dans les supermarchés, les végétaux ont rarement été entreposés selon les règles de l'art et ont parfois trop longtemps voyagé.

Remarque : les pépinières de votre région offrent l'avantage de proposer des espèces acclimatées. Assurez-vous de leur notoriété et de la compétence du vendeur. C'est la garantie d'acheter des sujets authentiques, bien enracinés et en bonne santé.

Conseil : avant d'acheter, faites la liste des espèces et variétés qui vous intéressent. Prévoyez plusieurs possibilités afin de pouvoir changer d'avis au cas où vous ne trouveriez pas le ou les sujets que vous désirez.

Comment choisir

Avant d'acheter, examinez bien les végétaux. Vous devez avant tout vérifier :

- que l'espèce et la variété sont correctement indiquées ;
- que le sujet est sans défaut et présente une croissance et une silhouette régulières ;
- qu'il ne porte aucune trace d'attaque de parasites ou de maladies ;
- que l'écorce n'est pas blessée, les pousses terminales brisées ou rabougries ;
- que les racines ne poussent pas hors du conteneur.

Présentation

Les arbres sont élevés et proposés en pépinière sous diverses formes. Tout dépend de la saison à laquelle vous faites vos achats et de l'effet, rapide et immédiat ou à plus long terme, que vous souhaitez obtenir après avoir fait vos plantations.

- *Les scions* sont des plantes arbustives qui n'ont pas encore formé de couronne. Ils sont donc les plus adaptés pour les haies. Ils doivent avoir été transplantés plusieurs fois.
- *Les arbres sur tige* ont un tronc droit, sans branches, d'au moins 180 cm de haut, qui se prolonge tout droit à l'intérieur de la couronne sauf chez les sujets en boule ou pleureurs. Selon l'espèce et la variété, le sujet doit avoir été transplanté plusieurs fois.
- *Les arbres à port buissonnant* sont des sujets particulièrement bien ramifiés, bien développés en largeur, d'une

hauteur d'au moins 250 cm. Ils doivent avoir été transplantés au moins deux fois.

Avec ou sans motte

- *Les plantes sans motte,* c'est-à-dire à racines nues, sont meilleur marché mais sont rarement proposées car elles sont plus difficiles à planter et leur reprise est capricieuse (*voir Cahier pratique : plantation, p. 44*).
- *Les plantes en motte* sont plus chères car leur élevage a été plus complexe. Pour protéger la motte des blessures et du dessèchement, on l'enveloppe d'une toile ou d'un filet plastique.
- *Les végétaux en conteneur* sont proposés par les pépiniéristes dans des contenants de plastique. Ils présentent le grand avantage de pouvoir être plantés n'importe quand — sauf par grand froid —, et ils sont faciles à transporter.

Conseil : on peut choisir, pour une haie taillée, des plantes à maigre développement qui étaient plantées trop près les unes des autres en pépinière et sont donc peu ramifiées. Elles sont meilleur marché que les plantes à large développement qui conviennent mieux pour les bosquets, les haies libres ou en sujet isolé.

Contraste des silhouettes : bouleau à haute tige et haie de charme touffue.

La plantation dans le jardin est une opération délicate : les conditions dans lesquelles elle est faite influence des années durant la croissance et la bonne santé du végétal.

Planter une haie

La profondeur est fondamentale.

• Si la plante est enfouie trop profond, le collet est enterré et manque d'air.

• Si la profondeur est insuffisante, des racines, et donc certaines pousses, risquent de se dessécher.

Règle d'or : on plante toujours les végétaux à la même profondeur que celle à laquelle ils étaient enfouis dans la pépinière.

Creuser le trou

(illustration 1)
Le trou doit pouvoir contenir la motte plus environ la moitié de son volume. Si le sol est compact ou argileux, le trou doit être encore plus grand. C'est la garantie du développement régulier des racines. Si le trou est trop étroit, elles ne se développent pas assez pour retenir la plante. Le sol doit d'abord avoir été bien préparé *(voir p. 40).*

Mettre les plantes en place

(illustrations 2 et 3)
Si le végétal est en tontine, on dénoue le filet tout en le laissant quand même autour de la motte, car il pourrira de lui-même. Les plantes en conteneur doivent être extraites du récipient et déposées dans le trou après que les racines cassées, blessées ou qui ont poussé hors du container, aient été soigneusement raccourcies à la cisaille. Vérifiez bien la profondeur de plantation et modifiez-la avec la terre retirée, après avoir amélioré celle-ci si nécessaire *(voir p. 40).* Veillez toujours à maintenir le sujet bien droit au cours de l'opération, et secouez-le de temps en temps pour éviter la formation de poches d'air. Après avoir rebouché le trou, tassez soigneusement afin de bien répartir la terre autour et entre les racines. Construisez un petit talus autour du trou et arrosez doucement au tuyau dans la cuvette. La terre doit être bien humide de façon à se tasser davantage encore et à éliminer les poches d'air qui ont pu se former malgré les précautions prises.

Important : pour aider à la reprise, ajoutez un bon engrais organique au fond du trou.

Plantation alignée

(illustration 4)
Pour planter une haie alignée, on procède différemment surtout si on souhaite obtenir une haie bien dense. Creusez tout d'abord une tranchée de la longueur de la haie prévue (les exigences de profondeur et de largeur sont les

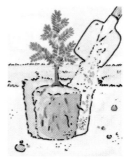

1) Le trou de plantation doit être suffisamment large pour contenir la motte.

2) Tout en maintenant le sujet bien droit, on rajoute de la bonne terre.

3) On forme un petit talus et on arrose abondamment dans la cuvette.

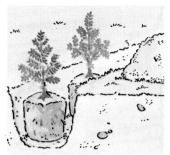

4) Pour planter en alignement, on creuse une tranchée, puis on dépose les sujets en respectant la distance, et on complète avec de la bonne terre.

mêmes que pour un sujet isolé), puis déposez les sujets les uns à côté des autres en respectant les distances suivantes :
• pour une haie libre, 1,50 m ;
• pour une haie taillée, 0,50 m, plus ou moins suivant la silhouette et la vigueur des plantes. Commencez à un bout de la tranchée et déposez les sujets comme si vous effectuiez la plantation en isolé. Enfin, construisez un talus d'arrosage tout autour de la haie et arrosez à fond ; l'humidité est indispensable à la reprise.

Tuteur
(Illustration 5)
La mise en place d'un tuteur est indispensable dans les régions de vent fort et pour les végétaux précieux isolés. Le piquet doit atteindre la hauteur de la couronne et s'enfoncer suffisamment dans le sol pour résister à la pression des vents. S'il existe un vent dominant, on doit planter le piquet de biais, à l'opposé de cette direction dominante. Le raphia est le matériau qui convient le mieux pour attacher le tuteur à la plante. On forme le lien en huit allongé afin d'éviter que le tronc frotte contre le piquet. Il ne doit pas blesser l'écorce, ni étrangler le tronc, sans pour autant être trop lâche. On retire le piquet au bout de deux ou trois ans car il entrave le développement des racines.

Important : plantez le piquet en même temps que l'arbre, jamais après car vous risqueriez de blesser des racines lors de l'opération.

Végétaux à racines nues
La préparation des végétaux à racines nues est plus fastidieuse que celle des végétaux en motte.
• Déballez le sujet rapidement après l'achat et laissez tremper les racines 12 heures dans de l'eau ou de la boue

(on nomme cette opération « pralinage ») pour éviter qu'elles se dessèchent. Si vous les stockez plus longtemps, enveloppez-les de terre.
• Si la plante a gelé, laissez-la dégeler lentement dans un local abrité mais non chauffé.
• Taillez les racines endommagées en les rabattant jusqu'à la partie saine. Raccourcissez celles qui sont trop longues ou déjà lignifiées afin de favoriser la formation de racines adventives.

5) Si le sujet est exposé à un fort vent, on le soutient avec un tuteur solide, enfoncé profondément et de biais dans le sol, à l'opposé du vent dominant. Plantez ce piquet avant de mettre l'arbuste.

Quand planter

Les végétaux en conteneur peuvent être plantés pratiquement toute l'année. Pour les plantes en motte ou à racines nues, on doit absolument respecter certaines époques.

Plantation d'automne

Entre les mois d'octobre et de mars, pendant la période de repos ; c'est le moment le plus favorable si l'on veut éviter que les plantes subissent des traumatismes nuisibles à leur bon développement.
Ne plantez jamais lorsque le sol est gelé ou après des pluies abondantes.

Plantation de printemps

Au printemps, les nouvelles racines se forment plus vite qu'en automne et le risque est moindre pour que la motte soit déterrée par un coup de gel suivi d'un dégel rapide.

Remarque : les espèces des régions tempérées — comme l'arbre à perruque *(Cotinus coggygria)* ou l'arbre de Judée *(Cercis)* — se plantent au début du printemps ou au début de l'automne afin qu'elles aient le temps de s'enraciner. Il en est de même pour les arbustes persistants, que l'on plante en septembre ou en mars-avril : à cette période-là, le sol est encore ou déjà chaud, ce qui favorise la formation des racines.

Planter en sous-bois

On peut planter sous certains arbres :
- Aubépine (variétés de *Crataegus*)
- Érable du Japon (*Acer palmatum)*
- Hibiscus *(Hibiscus syriacus)*
- Noisetier *(Corylus avellana)*
- Seringat de grande taille *(Philadelphus 'Erectus')*
- Viorne parfumée boule de neige *(Viburnum farreri)*

Mais, évitez de planter sous :
- Arbre à perruque *(Cotinus coggygria)*
- Cognassier du Japon *(hybrides de Chaenomeles)*
- Marronnier *(Aesculus parviflora)*
- Seringat à fleurs simples *(Philadelphus coronarius)*
- Weigelia (variétés de *Weigelia)*

Croissance des racines

Elle diffère considérablement suivant les espèces, et vous devez en tenir compte en plantant une haie ou un bosquet : certaines plantes développent leurs racines en largeur, d'autres en profondeur, d'autres dans les deux directions.

Racines en profondeur

On dit aussi racines à pivot. Une racine principale s'enfonce, comme un piquet, profondément dans le sol.

Racines en largeur

Le réseau des racines se développe juste au dessous du niveau du sol et couvre de larges surfaces.

Chaque végétal possède deux sortes de racines.
- *Les racines principales* se trouvent à la verticale du tronc ou de la base des pousses. Leur bois est solide et résistant. Elles servent principalement à l'ancrage de la plante.

- *Les radicelles,* dont le réseau est tourné vers l'extérieur, sont plus fines et très ramifiées, couvertes d'innombrables fibrilles qui se fraient un chemin entre les particules du sol. Ce sont elles qui puisent l'eau et les sels minéraux. Il s'en forme sans cesse de nouvelles *(voir Cahier pratique : botanique, p. 8).*

Tenez compte des racines

De la forme et de la largeur de la couronne, vous pouvez déduire l'espace nécessaire aux racines, mais cela ne s'applique qu'aux végétaux aux formes libres. Pour une haie, dans un jardin, la situation est différente car les arbres et les arbustes sont sans cesse retaillés et disposent de beaucoup moins d'espace. La croissance des racines est, certes, programmée génétiquement, mais varie avec leur emplacement et, surtout,

À côté du skimmia au feuillage dense, le fuchsia paraît encore plus délicat.

la qualité du sol. Des végétaux à racine pivotante peuvent développer, sur un sol particulièrement dense et lourd, des racines superficielles. Il est donc indispensable d'alléger le sol. Le feutrage de racines très étalé de certains sujets rend difficile la plantation sous leur couronne, alors que cela ne pose pas de difficulté pour d'autres espèces. Il vous faut donc tenir compte du développement des racines quand vous projetez la plantation d'une haie ou d'un bosquet. N'oubliez pas que l'appareil radiculaire des arbres est souvent beaucoup plus encombrant.

Remarque : si votre jardin est petit, choisissez des espèces sous lesquelles vous pouvez planter afin de ne pas gaspiller d'espace. Au moment de l'achat, vérifiez bien qu'on vous donne la variété que vous désirez car le développement des racines d'une même espèce peut varier.

Arroser

La transplantation constitue un traumatisme dans la vie des végétaux. Pour les aider à le surmonter rapidement, prenez les premières mesures d'urgence. Par la suite, l'entretien se réduit principalement à la taille.

• *Les végétaux implantés depuis longtemps* ont un système radiculaire profond qui leur permet de puiser suffisamment d'eau et de sels minéraux, même pendant la sécheresse.

Arrosez abondamment une dernière fois vos haies de persistants avant les premières gelées.

On les arrose donc uniquement au moment des très grandes sécheresses.

• *Les végétaux fraîchement plantés,* eux, doivent être arrosés soigneusement durant plusieurs semaines afin de favoriser la formation des racines dont l'appareil est encore incomplet.

Conseil : arrosez de temps en temps les arbres à floraison précoce si le printemps est sec. Cela favorise la floraison.

Les arbres à feuillage persistant

Les arbres à feuillage persistant — c'est-à-dire qui conservent leurs aiguilles ou leurs feuilles en hiver — demandent des soins bien particuliers. Ils souffrent souvent du soleil d'hiver, qui fait s'évaporer l'eau par les aiguilles alors que les racines n'en puisent que peu ou pas du tout dans le sol gelé. Progressivement les feuilles se dessèchent et les végétaux

se rabougrissent. Il faut donc, afin d'éviter ce phénomène, arroser abondamment et souvent les végétaux à feuillage persistant avant l'arrivée des premières gelées. Cependant, si l'hiver est clément et que le sol n'est pas gelé en profondeur, on peut également les arroser lors des courtes périodes ensoleillées.

Important : si les arbres persistants que vous venez de planter brunissent en peu de temps, c'est souvent le manque d'eau qui en est la cause. Arrosez-les souvent et beaucoup, en les protégeant des vents desséchants, en enveloppant leur tronc d'un sac de toile ou d'un paravent. Cela prévient l'éventuel dessèchement, ou l'arrête s'il y a lieu.

Comment arroser

- Arrosez abondamment le sol à l'emplacement des racines et non la plante elle-même.
- Arrosez plutôt le matin ou le soir. Pendant la journée, s'il fait soleil, l'eau s'évapore inutilement et risque de provoquer un refroidissement nuisible à la plante.
- Il vaut toujours mieux arroser beaucoup de temps en temps qu'un peu très souvent.

Pailler

Le paillage consiste à apporter des éléments organiques directement à la surface du sol. Le résultat en est quasi magique.

- La température du sol est stabilisée, on atténue les variations importantes, et cela améliore le microclimat.
- L'évaporation et le gaspillage d'eau diminuent.
- Le sol se dessèche moins vite et ruisselle moins lors des pluies abondantes et de longue durée.

- La couche d'humus s'épaissit et améliore la structure du sol.
- Cela évite le désherbage.

Avec quoi pailler

On utilise le plus souvent du compost non encore décomposé, des feuilles mortes, des résidus de tonte de pelouse ou, surtout pour les plantations d'une certaine importance, des écorces de pin. La couche de paillage doit avoir 5 cm d'épaisseur pour les arbustes, et 10 cm pour les arbres. Pour que cette opération soit efficace, il faut compléter et renouveler régulièrement cette couche.

Fertiliser

À l'inverse des autres végétaux, les arbres de votre jardin n'ont pas besoin d'apports d'engrais très fréquents. La terre de jardin contient suffisamment de sels minéraux, que les arbres et les arbustes puisent grâce à leur système radiculaire large et profondément enfoui. Si vous avez bien préparé et amendé le sol avant la plantation, et si vos plantes jouissent de l'exposition adéquate, vous pouvez facilement éviter les apports d'engrais, sauf dans le cas de haies très serrées, quand les racines disposent de trop peu de place et que la taille fréquente appauvrit les parties aériennes en sels minéraux. Prévoyez alors

quelques apports d'engrais. La meilleur méthode est d'incorporer régulièrement au sol du compost bien décomposé puis de recouvrir d'un paillage. C'est le meilleur amendement ; il est un engrais efficace et améliore la structure du sol. N'utilisez d'engrais minéraux que dans le cas de carence aiguë en sels minéraux.

Conseil : certaines espèces prospèrent même sur un sol très pauvre : l'aulne (variétés d'*Alnus*), le baguenaudier (variétés de *Colutea*), le caragana (variétés de *Caragana*), l'argousier *(Hippophae rhamnoides)* ou le genévrier (variétés de Juniperus).

Quand tailler

Si vous voulez que votre haie reste belle et en bonne santé, il ne suffit pas de respecter les règles de coupe. Le moment où vous procédez à la taille est également très important, et varie considérablement suivant les espèces.

Les arbres

La plupart des arbres n'ont pas besoin d'être taillés. Si cela se révèle nécessaire, procédez avec prudence afin de respecter le plus possible la silhouette originale. Les opinions sont partagées sur la question de l'époque de la taille favorable. Jusqu'à il y a peu, on considérait la

De nombreux arbres pour haies ont besoin d'être taillés de temps en temps pour bien se développer. La taille favorise en effet la floraison et la formation de nouveaux rameaux, et empêche la plante de vieillir prématurément.

Savoir tailler

Les haies vives doivent être éclaircies de temps en temps et être rabattues au sol tous les deux ans environ. (On taille la plante jusqu'au collet.) En revanche, les haies en forme doivent être taillées plus régulièrement, en moyenne une à deux fois par an.

Les règles

L'intérêt de la taille est de favoriser la formation des nouvelles pousses à fleurs. Voici comment procéder.

- Retirez la totalité du vieux bois mort.
- Ôtez les branches et les fourches qui s'entrecroisent ou les ramifications tournées vers l'intérieur.
- Taillez toujours au dessus d'un bourgeon tourné vers l'extérieur afin de favoriser la formation du rameau et d'alléger ainsi la silhouette des arbustes à fleurs.
- Les haies taillées, en revanche, peuvent être raccourcies sans tenir compte des bourgeons.

Outils

Pour éliminer les branches et les rameaux les plus minces, on utilise une cisaille, pour les plus grosses, une scie. Vos outils doivent être bien aiguisés pour ne pas abîmer les pousses.

Important : les parties malades ou blessées doivent être ôtées rapidement afin d'éviter la propagation des germes et la pénétration des champignons et des bactéries. Pour cela, coupez jusqu'à la hauteur du bois sain. Ôtez aussi, au ras de leur insertion, les gourmands qui ont pu se constituer au dessous du collet.

Comment soigner les plaies de taille

Le soin des plaies de taille a pour fonction d'éviter la pénétration de germes. Il est indispensable de soigner les plaies des branches qui font plus de 2 cm de diamètre. En revanche, les plaies plus petites et superficielles cicatrisent spontanément. Pour les conifères, la résine abondante

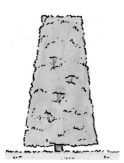

3) Les haies rigoureusement taillées doivent avoir une forme en trapèze.

qu'ils produisent pourvoit à la cicatrisation des plaies de taille. Pour les feuillus de grande taille, voici comment procéder.

- Ôtez les morceaux d'écorce endommagés ou en partie détachés.
- Nettoyez les bords de la plaie à l'aide d'un couteau préalablement désinfecté.
- Découpez la plaie en forme d'ellipse, la plus petite possible.
- Recouvrez à ras bord la plaie avec du mastic à cicatriser à élasticité permanente.

Tailler les grosses branches

(Illustrations 1 et 2)
Les branches les plus grosses se taillent en

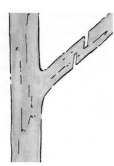

1) Pour les grosses branches, on pratique une entaille d'abord par dessous puis, en quinconce, par dessus.

2) On scie le moignon au ras de la branche. On fait une entaille en dessous pour éviter un lambeau d'écorce.

4) Pour conduire la taille, on peut se fabriquer une forme à base de tasseaux et de cordes.

plusieurs temps. Si on fait un seul trait de scie au ras du tronc elles peuvent s'arracher sous leur propre poids, entraînant des blessures dangereuses car difficiles à nettoyer et constituant un terrain de choix pour les infections les plus diverses.
• À environ 30 cm du point d'insertion, sciez d'abord par en dessous jusqu'à la moitié de l'épaisseur.
• Plus loin, vers l'extrémité de la branche, pratiquez un nouveau trait de scie à partir du dessus jusqu'à son milieu, puis cassez-la.
• Sciez alors le moignon au ras du tronc.

Taille en forme
(Illustration 3)
Les haies en forme exigent la taille la plus rigoureuse.

Pour réussir, observez attentivement les règles suivantes.
• Laissez la haie atteindre lentement la hauteur désirée. N'oubliez pas que si votre haie pousse en hauteur, c'est au détriment de la densité de son feuillage et de son épaisseur.
• Ne raccourcissez jamais trop brutalement, vous risquez de laisser des trous qui nuisent à l'aspect esthétique de votre haie.
• Tenez compte des branches de l'année passée, et taillez juste au dessus de l'ancienne ramification.
• Les arbres pour haie à tronc unique ne sont taillés que lorsque ce tronc a atteint sa hauteur définitive.
• La haie doit toujours être plus large à la

base qu'au sommet. Elle doit avoir une forme de trapèze afin que les parties basses ne se dégarnissent par manque de lumière.

Forme de taille
(Illustration 4)
Pour que votre haie est une forme régulière sur toute sa longueur, fabriquez-vous une structure qui vous guidera. Voici comment procéder.

• Bâtissez un cadre en tasseaux de bois, de la largeur désirée, puis tendez des cordes ou du fil de fer à la hauteur souhaitée. Ils vous permettent d'exécuter une taille régulière avec beaucoup plus de facilité que si vous l'effectuiez à vue d'œil.

Taille d'éclaircissement
(Illustration 5)
Pour que les arbustes à fleurs donnent une floraison généreuse, il faut leur ôter le vieux bois pour laisser la place et la lumière nécessaires au développement des jeunes pousses florifères. Choisissez le moment en fonction de la période de floraison (*voir p. 49*). Les branches plus âgées, situées

5) Le vieux bois, qui ne fleurit plus, doit être rabattu de temps en temps pour laisser espace et lumière aux jeunes pousses.

au centre de l'arbuste, sont coupées à ras du sol ou rabattues jusqu'à une ramification récente. On raccourcit de même les branches entrecroisées trop serrées.

Remarque : dans une haie libre, respectez la silhouette générale de chaque sujet.

période de repos de la végétation — c'est-à-dire de la fin de l'automne à la fin de l'hiver — comme le moment idéal. Aujourd'hui, on a tendance à préférer le début du printemps. L'expérience a prouvé qu'au début de la période de végétation, au moment où la sève recommence à circuler et où les bourgeons gonflent sans éclore, la taille est en général bien supportée. Les blessures cicatrisent plus vite, à condition d'être soigneusement mastiquées pour éviter une hémorragie de sève qui affaiblit l'arbre.

Remarque : c'est aussi au début de la période de végétation que l'on distingue le mieux le vieux bois mort des branches neuves.

Arbustes

Les arbustes en haie libre sont taillés après la floraison. Ceux qui fleurissent au printemps forment leurs bourgeons à fleurs sur le vieux bois. On les rafraîchit prudemment juste après la floraison, sous peine de se priver de fleurs l'année suivante. Ceux qui fleurissent en été le font sur les rameaux de l'année et peuvent être pincés sans dommage avant la floraison.

Conseil : certaines espèces — comme, par exemple, la potentille *(Potentilla fruticosa)* ou le millepertuis (variétés d'*Hypericum*) — doivent être sévèrement raccourcies chaque année pour fleurir abondamment et ne pas se dénuder ou perdre leur silhouette. On les rabat au début du printemps à une ou deux mains du sol. On appelle cette opération « taille de rabattage ».

Tailler une haie en forme

Les feuillus caduques doivent être taillés pour la première fois à la fin du mois de juin, alors que la première pousse est terminée. Les espèces vigoureuses comme le charme *(Carpinus betulus),* doivent être retaillées durant l'été. D'autres, dont la deuxième pousse est plus faible, comme le troène (variétés de *Ligustrum*), n'ont pas besoin de cette deuxième taille.

Important : afin d'éviter que de nouvelles pousses tardives se forment, évitez de retailler au delà du mois d'août. Le bois n'a pas le temps de mûrir avant l'hiver, et la plante est beaucoup plus sensible au froid. Les haies persistantes sont taillées à la fin de l'été : la pousse de ces espèces est régulière tout au long de l'année.

Taille de rajeunissement

La taille de rajeunissement est une intervention radicale dans la vie d'un arbuste. Elle peut cependant être rendue nécessaire quand la haie est devenue trop importante ou qu'elle vieillit et se dénude, le plus souvent parce qu'elle n'a pas reçu les soins appropriés ; il s'agit en quelque sorte de contraindre l'arbuste à repartir à zéro.

On scie les troncs les plus vieux et les plus faibles à environ 20 cm du sol en ne laissant que le jeune bois. Le meilleur moment est la fin de l'automne, pendant le repos végétatif. Il faut se méfier, car une taille de printemps affaiblit trop la plante, qui souffre déjà suffisamment de cette intervention délicate. L'automne suivant, on taille les branches trop faibles qui n'ont pas suffisamment poussé pour bourgeonner.

Remarque : on ne peut pas rajeunir les conifères de cette manière. Seul l'if supporte à peu près une taille aussi radicale, mais il vous faut patienter après l'opération : la haie a besoin de quelques années pour se reconstituer. C'est pourquoi il vaut mieux ôter régulièrement les branches vieillies. Cet entretien est moins violent pour le végétal.

Que faire des chutes

Si vous n'avez pas de cheminée ou si vous ne disposez pas d'une quelconque possibilité de brûler du bois, vous

Certains arbres comme ce cerisier ornemental ne se taillent pas.

pouvez vous procurer un appareil à hacher. Il en existe de nombreux modèles dans le commerce.

Il est également possible de le louer ou de le partager avec un ou plusieurs voisins. L'appareil réduit les branches en petits morceaux qui sont alors facilement utilisables pour le paillage.

Important : débarrassez-vous des branches malades. Ne les jetez pas sur le tas de compost, n'en couvrez pas vos plates-bandes ; elles ne feraient que contaminer votre paillage, et vous propageriez l'infection à tout le jardin.

Désherber

Le nettoyage du pied des arbres et des arbustes se fait en plusieurs temps. Au début du printemps, effectuez un léger labour en prenant garde à ne pas endommager les racines superficielles. Pour ce faire, le mieux est d'utiliser une fourche-bêche dont les dents se glisseront entre les racines.

Une fois que vous avez terminé ce travail, épandez un désherbant sélectif, spécial haie, qui empêchera la germination des mauvaises herbes.

Durant la saison, passez de temps en temps un coup de binette pour décroûter le sol et éliminer les quelques herbes qui auraient résisté au désherbant.

Vous pouvez multiplier les arbustes de vos haies par semis, mais il faut vous armer de patience, ou par bouturage (appelée « reproduction végétative »). C'est surtout utile et très économique dans le cas d'espèces rares ou exotiques.

Reproduction par semis

La reproduction par semis des arbres et arbustes est une opération difficile et fastidieuse. Il arrive d'ailleurs souvent que la « plante-fille » diffère de l'espèce, et perde un certain nombre de caractères originels. Si vous voulez malgré tout vous y essayer, suivez les conseils suivants.

1) Pour multiplier par marcottage, entaillez le rameau de biais, courbez-le jusqu'au sol et maintenez-le avec des arceaux. Tuteurez la pousse.

• Ne récoltez que les fruits mûrs. Séparez les graines de la chair avant de les nettoyer.
• Semez les graines en terre franche et maintenez une humidité constante. La profondeur d'enfouissement diffère selon la grosseur des graines.
• Éclaircissez les jeunes plants trop serrés.
• Ne mettez en place que les sujets les plus vigoureux.

Remarque : les espèces à fleurs doubles n'ont pas d'organes génitaux, ou alors leurs pistils et leurs étamines sont stériles. Elles ne portent ni fruits ni graines et ne peuvent donc être reproduites que de façon végétative.

2) Maintenez l'entaille ouverte avec un bâtonnet ou un petit caillou.

Reproduction végétative

Une partie de la plante forme des racines et des pousses, donnant une nouvelle plante autonome.

Marcottage

(Illustrations 1 et 2)
L'une des méthodes les plus faciles est d'enraciner des rameaux pendants ou de longues pousses près du sol. C'est le marcottage. Au printemps ou en été, courbez un rameau vers le sol à environ 30 cm de la pousse terminale. Faites, au couteau, une petite entaille de biais. Maintenez l'entaille ouverte avec un bâtonnet ou

un caillou. Fixez le rameau dans le sol sans le casser avec des crochets de façon que l'entaille se trouve enfouie tandis que la partie feuillue reste aérienne. Tuteurez la jeune pousse avec un bout de bois ou de métal pour qu'elle reste droite. Fixez-la sans l'étrangler avec un lien en huit. Ne blessez pas les tissus fragiles de la pousse terminale.

Conseil : ameublissez le sol à l'endroit où vous enfouirez la marcotte. Vous pouvez aussi creuser un petit trou que vous remplirez de terre riche en humus. La marcotte doit être maintenue bien humide. Lorsque le bois a formé des racines, la nouvelle plante peut être séparée de sa mère et transplantée.

Boutures de tête

(Illustration 3)
Afin de multiplier les conifères et certains feuillus, on utilise les pousses terminales tendres des branches

adventives appelées
« boutures de tête ».
Elles doivent provenir
de pieds-mères en
bonne santé.
•Prélevez la bouture
de tête en taillant
de biais directement
sous un œil, avec un
couteau bien aiguisé.
•Ôtez les aiguilles ou
les feuilles inférieures.
•Plantez la bouture
dans une terrine rem-
plie de terreau pour
semis ou de terre de
jardin mélangée avec
du sable, puis arro-
sez. L'enracinement
se fait plus facilement
si vous chauffez le
fond de la terrine.
•Mettez la nouvelle
pousse en place au
printemps suivant.

Remarque : quand
vous étêtez une haie
de résineux, trans-
formez les pousses
terminales les plus
vigoureuses en bou-
tures de tête.

Boutures de tiges
(Illustration 4)
La plupart des feuillus
peuvent être repro-
duits par boutures de
tige. On prélève à
l'automne, après la

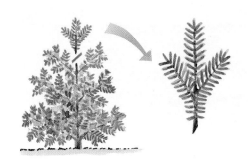

3) Pour une bouture de tête, on coupe en biais la pousse terminale, juste au dessous d'un œil.

4) Les boutures de tiges, prélevées sur les parties médianes des branches à moitié lignifiées, per-mettent de reproduire facilement les arbustes.

chute des feuilles, la
partie médiane des
branches qui ne sont
pas encore tout à fait
lignifiées, donc pas
trop dures, que l'on
coupe en segments
de 15 à 20 cm, por-
tant 3 à 4 yeux cha-
cun. On coupe en
biais au dessous du
dernier œil. Attachez
vos boutures de tiges
en fagots classés par
espèce et variété.
Enfouissez-les dans
du sable humide ou
enveloppez-les dans
de la toile humide, à
l'abri du gel. Vérifiez
au cours de l'hiver
que la moisissure ne
se développe pas.
Cet enveloppement
permet l'hivernage et
favorise la formation

des racines. Au prin-
temps suivant, vos
boutures sont prêtes
à être mises en place.

Boutures de racines
Certaines espèces,
telles que le cognas-
sier du Japon *(Chae-
nomeles)* ou le mûrier
(Rubus), se reprodui-
sent aussi grâce à
leurs racines. On pré-
lève à la fin de l'au-
tomne un morceau
de racine de 1 cm
d'épaisseur, que l'on
taille en segments de
5 à 10 cm. On enfouit
les boutures de raci-
ne, de biais, dans
une caisse de terre
sableuse et riche en
humus, la partie qui
était tournée vers la
plante dirigée vers le
haut. Les boutures
doivent être recou-
vertes d'environ 1 cm
de terre. On peut les
planter dès qu'elles
sont enracinées et
qu'une jeune pousse
se forme.

Conseil : si l'hiver est
très rigoureux, pensez
à recouvrir les jeunes
plantes exotiques de
brindilles.

En automne, faites à nouveau un petit labour où vous enfouirez les feuilles mortes.

Conseil : évitez de laisser le gazon s'installer jusqu'au pied de la haie. La tonte y est nettement plus difficile et l'aspect peu esthétique. Désherbez régulièrement.

Les cinq maladies les plus fréquentes

Feu bactérien
Aspect : fleurs noircies, pousses flétries, rabougries en forme de crosse, exsudat sur l'écorce. Attaque surtout les rosiers. *Cause :* bactérie. *Traitement :* arracher et brûler. Obligation de déclaration.

Fonte des pousses
Aspect : les jeunes pousses des conifères flétrissent au printemps ; pourriture grise ou petits corpuscules noirs. *Cause :* champignon, souvent par temps humide. *Traitement :* rabattre sévèrement jusqu'au bois sain et traiter avec un fongicide.

Tavelure des feuilles et pousses
Aspect : les feuilles flétrissent, des branches entières meurent, surtout en début de printemps. *Cause :* champignon (par temps chaud et sec). *Traitement :* rabattre sévèrement jusqu'au bois sain, arracher si nécessaire, ou utiliser un fongicide.

Dégâts dus à la pollution
Aspect : tâches blanc-jaunâtre devenant brunes sur les feuilles. Chute prématurée des feuilles et des aiguilles. *Traitement :* soins de culture intensifiés, sinon remplacer par une espèce plus robuste.

Rouille
Aspect : petites pustules couleur rouille ou jaunâtres, puis noires au dessous des feuilles, tâches rousses sur le dessus. *Cause :* champignon, mauvais emplacement. *Traitement :* engrais, arrosage, taille, fongicide. Détruire les feuilles tombées.

Protection des plantes
Pour que votre haie reste en bonne santé, choisissez des plantes saines et respectez leurs exigences d'emplacement et de culture. Cependant, même les végétaux les plus sains ne sont pas totalement à l'abri des maladies et des nombreux parasites. Surveillez-les donc régulièrement afin de les traiter dès les premières attaques.
Pour combattre efficacement maladies et parasites, vous devez d'abord reconnaître la nature de l'agression.
Si vous n'êtes pas sûr de votre diagnostic, portez un échantillon des parties attaquées à un spécialiste, dans une jardinerie ou chez un pépiniériste.
Cependant, avant de faire procéder à une analyse de vos végétaux, vérifiez qu'il ne s'agit pas d'un dommage d'une autre nature, tel qu'une erreur de culture, ou bien une modification de l'environnement, par exemple des conditions climatiques extrêmes.

Traitement
Toute attaque ne nécessite pas immédiatement des pulvérisations, surtout si de mauvaises conditions

climatiques sont à l'origine de l'affection. Les végétaux guérissent souvent spontanément. Il suffit parfois de quelques gestes très simples à effectuer, comme ôter les parasites à la main ou poser sur le tronc des anneaux de colle qui repoussent efficacement les chenilles. Les maladies, si elles sont reconnues à temps, peuvent souvent être endiguées par une taille de rabattage jusqu'au bois sain.

Important : pour éviter la propagation des maladies, ne jetez pas les parties atteintes, branches ou feuilles, sur le compost. Il faut les détruire ou les faire enlever.
Si un arbuste, malgré vos soins constants, est sans cesse attaqué par maladies et parasites, il vaut mieux l'enlever et le remplacer par un sujet d'une espèce plus résistante.

Pulvérisations

N'y recourez que si aucune autre mesure ne s'est révélée efficace. Prenez les précautions suivantes :
• demandez conseil à un spécialiste ;
• portez des vêtements protecteurs ;
• pendant la pulvérisation, il ne faut ni manger, ni boire, ni fumer ;
• n'oubliez pas de toujours bien nettoyer les instruments de pulvérisation ;

• ne réutilisez pas les restes ;
• ne stockez pas les produits phytosanitaires avec les aliments. Gardez-les hors d'atteinte des enfants et de vos animaux domestiques.

Les cinq parasites les plus fréquents

Puceron du pin
Aspect : petits pucerons verts au dessous des aiguilles âgées sur les branches intérieures des pins. *Cause :* mauvaise nourriture, emplacement trop sec. *Traitement :* arroser, fertiliser, arracher en cas d'attaque importante ou utiliser un insecticide.

Araignée rouge des conifères
Aspect : acariens tissant une fine toile autour des aiguilles et des branches, points jaunes ou argentés à la surface des aiguilles qui se dessèchent. *Cause :* emplacement trop sec. *Traitement :* arroser et pailler le sol, pulvériser un acaricide.

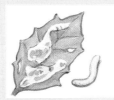

Mouche blanche du houx
Aspect : galeries jaunes, irrégulières, formant des ampoules creusant les feuilles qui se dessèchent et tombent. *Cause :* les larves de petites mouches. *Traitement :* ôter les feuilles attaquées et pulvériser un insecticide.

Chenilles
Aspect : bourgeons et feuilles dévorés. *Cause :* pullulement de chenilles vertes ou brunes. *Traitement :* ôter les chenilles, colle anti-chenille, insecticide.

Pucerons lanigères
Aspect : petits insectes blanchâtres et cotonneux, qui sucent la sève des feuilles, des aiguilles et des tiges. *Cause :* carences alimentaires, emplacement trop sec. *Traitement :* pulvériser de l'huile de paraffine ou un insecticide.

Les chiffres en caractère gras indiquent les photos couleurs et les illustrations.

Avertissement

Cet ouvrage traite de la plantation et de la culture des arbres et des arbustes. Certains végétaux présentés ici sont plus ou moins toxiques, en particulier pour les adultes affaiblis et les enfants : ils peuvent entraîner de graves troubles, et même provoquer la mort. Veillez rigoureusement à ce que les enfants et les animaux domestiques ne mettent pas à la bouche la moindre partie de ces végétaux.

En taillant vos arbustes ou même en remuant et en préparant la terre, vous risquez de vous blesser avec vos outils ou avec les branches. Dans ce cas, consultez toujours un médecin pour savoir s'il convient de vous faire un sérum antitétanique. Si vous utilisez des produits phytosanitaires, respectez bien les indications portées sur l'emballage. Conservez ces produits et les engrais (même lorsqu'ils sont organiques) hors d'atteinte des enfants et des animaux domestiques : leur consommation est dangereuse, et ils ne doivent surtout pas entrer en contact avec les yeux.

CUISINE

25 menus en 25 minutes • Agneau • Barbecue • Bœuf • Bricks, feuilletés et croustillants • Brunchs • Buffets • Céréales • Champignons • Chocolat • Cocktails • Cocktails pleine forme • Confitures et conserves • Cuisine alsacienne • Cuisine asiatique • Cuisine au tofou • Cuisine au wok • Cuisine aux condiments • Cuisine aux épices • Cuisine aux herbes • Cuisine bourguignonne • Cuisine bretonne • Cuisine chinoise • Cuisine créole • Cuisine d'extérieur • Cuisine de l'Auvergne et du Limousin • Cuisine de l'étudiant • Cuisine de Savoie et Dauphiné • Cuisine du Périgord • Cuisine du Sud-Ouest • Cuisine facile • Cuisine familiale • Cuisine grecque • Cuisine indienne • Cuisine indonésienne • Cuisine italienne • Cuisine juive • Cuisine libanaise • Cuisine lyonnaise • Cuisine marocaine • Cuisine minceur • Cuisine normande • Cuisine orientale • Cuisine petits prix • Cuisine pour bébés • Cuisine pour débutants • Cuisine pour deux • Cuisine pour écoliers • Cuisine pour les petits • Cuisine pour une personne • Cuisine provençale • Cuisine rapide • Cuisine russe • Cuisine scandinave • Cuisine Tex-Mex • Cuisine thaïe • Cuisine végétarienne • Desserts • Entrées et hors d'œuvre • Foies gras et confits • Fondues • Fruits exotiques • Gâteaux déco • Gibiers • Goûters-party • Gratins et soufflés • L'œuf • Le goût en quatre saveurs • Légumes • Liqueurs, sirops et ratafias • Mets et vins • Pains • Pâtes • Pâtisserie • Petits gâteaux • Pizzas et tourtes • Plateaux-télé • Plats mijotés • Plats uniques • Poissons • Pomme de terre • Recettes au foie gras • Risottos • Riz • Salades composées • Salades variées • Sauces • Soupes et potages • Tajines • Tapas et bouchées • Tartes et gâteaux • Terrines • Veau • Volailles

ANIMAUX

Aquarium / Les plantes • Aquariums • Avoir un chat en appartement • Bergers allemands • Bichons • Boxers • Canari • Caniches • Chartreux • Chats • Chiens • Chiens de garde • Chinchillas • Cochon d'Inde • Éduquer son chien • Entraîner son chien • Hamster • Inséparables • Labrador • Lapin nain • Mon chien vieillit • Mon premier aquarium • Oiseaux du jardin • Perroquets • Perruche callopsitte • Perruches ondulées • Petits chiens • Poissons rouges • Serpents • Soigner son chat • Soigner son chien • Souris • Teckels • Terriers • Tortues • Tortues de terre • Westies • Yorkshires

JARDINAGE

Arbres fruitiers • Bambous • Bégonias • Bien jardiner avec la lune • Bonsaï • Bouquets • Bouturage • Cactus • Conifères et arbustes miniatures • Constructions de jardin • Fleurs à bulbes • Fruits en pots • Géraniums / Pélargoniums • Greffage • Grimpantes et retombantes • Haies • Jardin de mois en mois • Jardinage facile • Jardinières et balconnières • Jardins d'eau • Légumes et fleurs pour balcons • Orchidées • Palmiers • Pelouses et gazons • Petits jardins • Plantes aromatiques • Plantes d'intérieur • Potager • Rhododendrons / Azalées • Rocailles • Roses • Semis • Soigner ses plantes d'intérieur • Soigner ses plantes de jardin • Taille • Un jardin Feng Shui

DÉCORATION

Bijoux faciles • Bougies • Bracelets brésiliens • Collages • Couronnes de fêtes • Coussins et housses • Déco de fête • Décors de table • Encadrement • Fleurs séchées • Lampes • Maquillage pour enfants • Meubles peints • Miniatures • Objets déco • Pâpier mâché • Pâte à sel • Patines, peinture à effets • Peinture sur métal • Peinture sur soie • Peinture sur verre et porcelaine • Perles de rocaille • Pliages de serviettes • Pochoirs • Rideaux et stores • Tissus peints

COUTURE

Déguisements pour enfants • Du neuf avec du vieux • Jouets en tissu • Jupes faciles • Sacs et trousses • Tenues d'été • Tenues d'intérieur • Tenues de fête • Trousseau de bébé • Vêtements pour enfants

BEAUTÉ & FORME

À chacune sa coiffure • À chacune ses couleurs • À chacune son maquillage • À chacune son style • Maquillages de fête • Rester belle • Soins du corps • Soins du visage • Tatouages

Traduction
Marie Duval

Adaptation
Daniel Brochard

Secrétariat d'édition
Nicolas Krief

Maquette
Béatrice Lereclus

Dépôt légal : 37009 - août 2003
N° éditeur : 0F 41965
ISBN : 2-01-620682-9
62.63.0682.03/5

Impression : Canale
Turin (Italie)